Collection OUTILS

Gérard VIGNER

Écrire et convaincre

Hachette

Préface

Apprendre une langue et la maîtriser, c'est parvenir à échanger des expériences qu'il faudra savoir décrire, apprécier, juger et comparer.

Au-delà d'un certain niveau d'apprentissage, ce besoin se fait sentir avec de plus en plus d'intensité. L'élève et l'étudiant veulent écrire non plus pour raconter une courte histoire, mais pour exprimer un point de vue ou une idée, justifier une prise de position ou faire changer quelqu'un d'avis. En un mot, ils veulent **écrire** *pour* **convaincre.**

Il était donc nécessaire de leur fournir les différents procédés dont dispose la langue française pour permettre à quelqu'un de convaincre avec toute la force et toute la clarté souhaitables.

Le but de ce petit ouvrage est de regrouper de la façon la plus simple et la plus claire, à partir d'exemples, les expressions et les procédés les plus fréquemment utilisés dans ce domaine.

Ainsi ce livre apprendra à mieux écrire pour convaincre et, nous le souhaitons aussi, à mieux lire. En effet, l'étudiant ou l'élève qui aura appris à se servir de ces différentes techniques d'expression, saura aussi les reconnaître dans un texte (article de journal, éditorial, essai, etc.) et pourra, grâce à son expérience, pratiquer une lecture plus attentive.

L'ouvrage comprend quatre parties :

— les moyens de convaincre;

— les façons de convaincre;

— et maintenant c'est à vous!

— points de repère.

Ce petit livre pourra être utilisé :

— soit comme instrument de travail personnel, par l'élève ou l'étudiant qui désire perfectionner son écrit;

— soit dans le cadre de la classe sous forme de travail collectif. Le maître y trouvera un éventail d'exercices qu'il pourra ainsi proposer à ses élèves.

I.S.B.N. 2.01.001970.9

Table des matières

Les moyens de convaincre

Pour convaincre quelqu'un, il est indispensable de pouvoir se servir de certains outils, de certains procédés d'expression que vous pourrez par la suite combiner en vue de rédiger un développement original. Ils vous donneront les moyens de convaincre. *Vous apprendrez ainsi à :*

Poser le problème...

Vous allez soutenir une affirmation, développer un point de vue, faire part d'une opinion. Vous allez donc parler de quelque chose. Il faut alors que vous informiez votre lecteur de l'objet de cette discussion. Il faut aussi justifier la raison qui vous amène à aborder ce problème. En somme, vous commencerez par écrire ceci : *C'est à la suite de tel fait que je vais aborder ce problème.*

Claude del Boca / Rapho.

1

Vous allez aborder tel problème à la suite d'...
Un événement.
Chaque année les accidents de moto deviennent plus nombreux. Dimanche dernier, quatre jeunes gens se sont tués à la suite d'imprudences. Les deux motos roulaient à plus de 150 km/h et ont dérapé dans un virage.

1/événement

Il y a quelques jours, quatre jeunes gens se sont encore tués dans un accident de moto. Ce regrettable événement

problème

pose une fois encore **le problème** de l'imprudence des jeunes sur les deux-roues...

2/événement

Il ne se passe pas de jours **sans qu'on signale** un accident de moto dans lequel des jeunes gens trouvent la mort. **Tel est le cas de cet** accident qui dimanche dernier a coûté la vie à quatre

problème

d'entre eux. **Quand va-t-on se décider à** prendre les mesures nécessaires pour limiter le nombre de ces accidents?

3/événement

A la suite de l'accident survenu dimanche dernier dans lequel quatre per-

problème

sonnes ont trouvé la mort, **la question de** l'utilisation des deux-roues par des jeunes gens imprudents est à nouveau posée.

4/événement

D'année en année le nombre d'accidents survenus à de jeunes conducteurs de deux-roues ne cesse de s'accroître. C'est ce qui est encore arrivé dimanche dernier à quatre jeunes gens qui ont

problème

trouvé la mort à plus de 150 km/h. **Quand se décidera-t-on enfin à** prendre les mesures nécessaires pour...

5/problème	**Il est fortement question, dans un proche avenir, de** revoir le problème de l'utilisation des deux roues par les jeunes.
événement	L'accident **survenu** dimanche dernier à quatre jeunes gens qui y ont trouvé la mort montre qu'il est nécessaire de faire quelque chose.
6/événement	Le récent accident de moto qui a coûté la vie à quatre jeune gens **a mis en lumière les problèmes posés par** l'utilisation des deux-roues.
problème	**Va-t-on rester longtemps sans** rien faire et laisser s'allonger chaque jour la liste des victimes?

EXERCICE

un événement	un problème
On supprime le sursis militaire pour les étudiants.	**– Les jeunes et le service militaire.**
Deux jeunes gens sont morts dans la course de voiliers autour du monde.	**– La sécurité dans les compétitions sportives.**
Pour la première fois une femme vient d'être nommée sous-préfet.	**– Les femmes et le travail en 1976.**

Comment allez-vous parler de ces différents problèmes?

2

Vous allez aborder tel problème à la suite de...
ce que dit tout le monde.

Par exemple, on entend souvent dire que le niveau des lycéens d'aujourd'hui a baissé. Ils ne savent plus écrire. Ils ne connaissent plus la littérature...

1/ce qu'on dit	Les lycéens d'aujourd'hui ne savent plus écrire. Ils ne connaissent plus la littérature. **Telles sont quelques-unes des réflexions souvent entendues au sujet des** élèves d'aujourd'hui.
problème	**Est-ce exact ?**
2/ce qu'on dit	Les lycéens d'aujourd'hui ne savent plus écrire. Ils ne connaissent plus la littérature. **On entend ce genre de remarques tous les jours.**
problème	**Est-ce bien vrai ?**
3/problème **ce qu'on dit**	**Est-il vrai que** les lycéens d'aujourd'hui ne savent plus écrire ni ne connaissent la littérature **ainsi que le prétendent beaucoup de personnes ?**

EXERCICE

On dit que...
— les gens sont plus heureux à la campagne qu'à la ville;
— la télévision est dangereuse pour les enfants;
— les femmes conduisent plus mal que les hommes.
Comment allez-vous commencer à parler de ces différents problèmes ?

3

Vous allez aborder tel problème à la suite d'...
Une déclaration lue ou entendue.

Les élèves vont pouvoir, s'ils le désirent, quitter l'école dès l'âge de 14 ans pour aller travailler.
Problème : Faut-il ou non allonger la durée de la scolarité obligatoire ?

1/déclaration	**On parle beaucoup en ce moment de** diminuer la durée de la scolarité obligatoire. Les élèves vont pouvoir, s'ils le désirent, quitter l'école à l'âge de 14 ans pour aller travailler.
problème	**La question est posée :** faut-il ou non allonger la durée de la scolarité obligatoire ?
2/déclaration	**Certains affirment qu'il vaudrait mieux que** les élèves puissent, s'ils le désirent, quitter l'école dès l'âge de 14 ans pour aller travailler.
problème	**Ils posent ainsi le problème de** l'allongement ou de la diminution de la scolarité obligatoire.
3/problème	Les élèves doivent-ils pouvoir quitter l'école dès l'âge de 14 ans, s'ils le désirent, pour aller travailler ? Faut-il diminuer la durée de la scolarité obligatoire ?
déclaration	**Telles sont les questions posées lors de** la dernière réunion à Marseille de la Fédération Nationale des Parents d'Élèves.
4/déclaration	**Dans une étude consacrée à** la durée de la scolarité obligatoire, M. X... **affirme que** les élèves doivent pouvoir quitter l'école dès l'âge de 14 ans, s'ils le désirent, pour aller travailler.
problème	**Peut-on accepter de** telles conclusions ?

... et ensuite

Pour aider votre lecteur à mieux suivre la façon dont vous raisonnez, il est souvent nécessaire de souligner **la manière dont vous organisez vos idées. Ainsi, on pourra mieux vous comprendre. Vous pouvez vous servir de ces différentes expressions...**

pour commencer...

Les femmes conduisent-elles plus mal que les hommes ?

Commençons par examiner le chiffre des accidents provoqués par les femmes...

La première remarque portera sur le chiffre des accidents provoqués par les femmes.

Il faut d'abord rappeler que le chiffre des accidents provoqués par les femmes est...

On commencera d'abord par examiner le chiffre des accidents provoqués par les femmes.

La première remarque importante que l'on peut faire est que le chiffre des accidents provoqués par les femmes est...

... pour insister...

Il ne faut pas oublier que les femmes conduisent beaucoup moins vite que les hommes.

Il faut souligner que les femmes conduisent beaucoup moins vite que les hommes.

On notera que les femmes conduisent beaucoup moins vite que les hommes.

Il faut insister sur le fait que les femmes conduisent beaucoup moins vite que les hommes.

Rappelons que les femmes conduisent beaucoup moins vite que les hommes.

... pour annoncer une nouvelle étape...

Passons à présent à la question de l'équilibre nerveux des femmes.

Venons-en à présent à la question de l'équilibre nerveux des femmes.

Pour l'instant nous laisserons de côté le problème de l'équilibre nerveux des femmes **pour parler de...**

Nous reviendrons plus loin sur le problème de l'équilibre nerveux des femmes.

Avant de passer à la question de l'équilibre nerveux des femmes, **il faut remarquer que...**

Après avoir souligné l'importance de l'équilibre nerveux chez les femmes...

... pour marquer une suite d'idées.

Par conséquent, il ne semble pas que l'opinion selon laquelle les femmes conduisent plus mal que les hommes soit prouvée dans la réalité.

C'est pourquoi il ne semble pas que l'opinion selon laquelle les femmes conduisent plus mal que les hommes soit prouvée dans la réalité.

Ainsi il ne semble pas que l'opinion selon laquelle les femmes conduisent plus mal que les hommes soit prouvée dans la réalité.

Démentir

1

Dans le milieu des turfistes c'est l'émotion. Le bruit court que le jeu du tiercé va être bientôt supprimé parce que les Français y dépensent trop d'argent. Le porte-parole du gouvernement dément aussitôt la nouvelle.

1/ **Les bruits selon lesquels** le tiercé serait supprimé sous prétexte que les Français y dépensent trop d'argent **sont dénués de tout fondement.**

2/ **Il n'a jamais été question de** supprimer le tiercé sous prétexte que les Français y dépensent trop d'argent.

3/ **Il ne saurait être question, un seul instant, de** supprimer le tiercé parce que les Français y dépensent trop d'argent.

4/ **Il ne peut être question, en aucun cas,** de supprimer le tiercé **sous prétexte que** les Français y dépensent trop d'argent.

5/ **Les rumeurs selon lesquelles il serait question de** supprimer le tiercé sous prétexte que les Français y dépensent trop d'argent **sont sans fondement.**

turfiste : personne qui parie des sommes d'argent dans les courses de chevaux.
tiercé : jeu qui consiste à deviner les trois chevaux gagnants d'une course.

6/

Contrairement aux informations qui font état d'une éventuelle suppression du tiercé **sous prétexte que** les Français y dépensent trop d'argent, **il faut préciser qu'**il n'a jamais été question d'entreprendre une telle opération.

EXERCICE

Il paraît que l'usine d'appareils électro-ménagers qui se trouve aux portes de la ville va bientôt fermer. Le syndicat des ouvriers de l'entreprise s'inquiète.
La direction de l'usine dément la nouvelle :
les bruits selon lesquels ____
____

2

Beaucoup de gens pensent que les centrales nucléaires représentent un danger pour la population. Que répondent les ingénieurs?

Le Sauvage, mars 1974.

Dessin original de Maja.

Michel Brigaud / Le Sauvage.

La centrale de Saint-Laurent-des-Eaux en 1971.

centrale nucléaire : installation dans laquelle l'énergie tirée de la transformation de l'uranium permet de produire de l'électricité.

RÉCAPITULATION

Il est parfois nécessaire de rétablir la vérité. On peut procéder de deux manières : soit comme le porte-parole du gouvernement en le faisant de façon très nette, c'est ce que l'on appelle un **démenti.** Le porte-parole du gouvernement **dément** de la façon la plus nette les nouvelles selon lesquelles... On peut aussi procéder de façon plus souple, comme l'ont fait les ingénieurs à propos des centrales nucléaires. Ils ne démentent pas, ils corrigent une erreur. Ils rapportent d'abord l'erreur qui est commise :
— bien loin de...
— contrairement à...
puis opposent à cette erreur la vérité
— au contraire...
— bien au contraire...
Par ce procédé, on semble plus convaincant.

1/ **Bien loin de** constituer un danger pour la population, les centrales nucléaires présentent **au contraire** une amélioration considérable puisqu'elles ne rejettent ni fumées ni gaz dangereux.

2/ **Contrairement aux idées habituellement répandues selon lesquelles** les centrales nucléaires constituent un danger pour la population, **il faut préciser qu'**elles présentent **au contraire** une amélioration considérable, puisqu'elles ne rejettent ni fumées ni gaz dangereux.

3/ **Contrairement à ce que l'on croit généralement,** les centrales nucléaires **ne** constituent **pas** un danger pour la population. **En effet,** elles ne rejettent ni fumées ni gaz dangereux.

4/ **Contrairement à ce qui est généralement admis...**

Énumérer

L'E. D. F. décide d'installer une centrale nucléaire dans un village des bords de la Loire. Pour convaincre les habitants, elle envoie un représentant chargé d'énumérer **les avantages, pour la commune, de l'installation de cette centrale :**

— versement d'une taxe élevée à la commune,
— construction d'un nouveau pont sur la Loire,
— arrivée de nombreux ouvriers sur le chantier,
— installations d'usines nouvelles auprès de la centrale.

50 décibels ? Mettez donc des boules Quies...

Poursuite de la polémique sur l'expansion de la centrale nucléaire de St-Laurent-des-Eaux

La "rive droite" répond ... gauche"

"NOUS NE SOMMES PAS D'ACCORD AVEC LE MAIRE DE SAINT-LAURENT" AFFIRMENT LES MAIRES D'AVARAY, SUÈVRES ...AVERS, COURBOUZON ET SERIS

A PROPOS DE... L'installation des centrales nucléaires

La Loire entre les tours et les barrages

M. CHARBONNEL (ministre du Développement industriel et scientifique) SE DÉCLARE FAVORABLE A L'IMPLANTATION DE DEUX NOUVELLES CENTRALES NUCLÉAIRES SAINT-LAURENT-DES-EAUX

Les maires de communes de la rive gauche de la Loire demandent la réalisation de deux nouvelles centrales nucléaires à Saint-Laurent-des-Eaux

La presse devant « l'affaire de Saint-Laurent ».

Restent évidemment les petites industries secondaires que la centrale attirera, espère-t-on, dans les années à venir : c'est maigrelet comme bilan. D'autant que, déjà, on est *« en décibels de plus qu'avant ! »* ricane un « riverain ».
Autre inconvénient : *« Ça tue les étoiles... Il n'y a plus de nuit aux alentours de la centrale : elle est* toutefois un préalable à la grande réconciliation : il lui faut un pont qui la relie, elle aussi, à la centrale ombilicale : à son personnel, plus précisément, qui, ainsi, serait peut-

Le Sauvage.

La presse devant « l'affaire de Saint-Laurent ».

1er procédé	**déjà**	**On sait déjà, par exemple, qu'**une taxe importante va être versée à la commune.
	encore	**Plus important encore,** l'E. D. F. participera à la construction d'un pont sur la Loire.
	aussi	**Il faut compter aussi sur** l'arrivée de nombreux ouvriers qui s'installeront dans le village pour la durée du chantier et qui feront marcher le commerce.
	enfin	**L'hypothèse enfin** d'usines venant s'installer autour de la centrale **n'est pas à exclure.**
2e procédé		Les avantages que représentera pour la commune l'installation de cette centrale sont nombreux. **Tout d'abord** une taxe importante va être versée à la commune. **De plus** l'E. D. F. participera à la construction d'un pont sur la Loire. **En outre,** il faut prévoir l'arrivée de nombreux ouvriers qui s'installeront dans le village pour la durée du chantier et qui feront ainsi marcher le commerce. **Enfin** il ne faut pas exclure l'hypothèse d'usines venant s'installer autour de la centrale.
3e procédé		L'installation d'une centrale nucléaire dans votre commune **donnera lieu** au versement d'une taxe importante. **A ce premier avantage s'ajoute** la participation de l'E. D. F. à la construction d'un pont sur la Loire. **Par ailleurs,** il faut prévoir l'arrivée de nombreux ouvriers qui s'installeront

dans le village pour la durée du chantier et qui ainsi feront marcher le commerce.

Si l'on ajoute enfin la possibilité de voir des usines s'installer autour de la centrale, on voit bien que l'implantation de cette nouvelle centrale nucléaire ne comporte que des avantages.

4e procédé :

En premier lieu, il faut prévoir le versement d'une taxe importante à la commune.

Ensuite, l'E. D. F. participera à la construction d'un pont sur la Loire.

En troisième lieu, il faut prévoir **aussi** l'arrivée de nombreux ouvriers qui s'installeront dans le village pour la durée du chantier et qui, ainsi, feront marcher le commerce.

En dernier lieu, il ne faut pas exclure l'hypothèse d'usines venant s'installer autour de la centrale.

EXERCICES

L'horaire variable (cf. *donner un exemple, p. 27 et 29*) va bientôt être appliqué dans une grande société d'assurances. Le directeur **énumère** les avantages d'une telle modification dans les horaires de travail :
- diminution de la durée des trajets,
- plus de bousculades durant les trajets,
- possibilité de faire des courses pendant la journée,
- amélioration de la vie de famille.

1/ ______________________________

2/ ______________________________

3/ ______________________________

4/ ______________________________

Tout le monde ne partage pas l'optimisme du représentant de l'E. D. F. (p. 18). Des gens s'inquiètent. Ils savent que :
— certains matériaux restent *radioactifs* des centaines de siècles;
— une centrale nucléaire dure 40 ans. Elle n'est plus utilisable au-delà. Mais le cœur de la centrale reste radioactif pour 24 000 ans;
— les fleuves serviront à refroidir les centrales. La température du Rhône s'élèvera à 30°.
Ils rédigent une lettre pour répondre à l'intervention du représentant de l'E. D. F. et l'envoient à tous les habitants du village. Ils énumèrent les arguments qu'ils opposent à l'installation des centrales nucléaires.

1/ ______________________________

2/ ______________________________

3/ ______________________________

4/ ______________________________

RÉCAPITULATION

Énumérer des arguments, des avantages, des inconvénients, des solutions, des erreurs veut dire que l'on présente une liste. Mais il est préférable de **mettre un ordre** dans cette liste, de **classer** les arguments et **d'indiquer cet ordre** à l'aide de certaines **expressions.** Ainsi votre présentation sera plus claire, il y aura une **progression,** ce qui vous aidera à mieux convaincre celui qui vous lira.

radioactif : un corps *radioactif* envoie des rayonnements dangereux pour l'homme. L'uranium utilisé dans les centrales nucléaires est *radioactif*.

en premier lieu **en second lieu** **en troisième lieu** **en dernier lieu**	**d'abord** **ensuite** **de plus** **en outre** **par ailleurs** **enfin**	**tout d'abord** **à ce/ /s'ajoute** **d'autre part** **si l'on ajoute | encore / enfin**

Il est possible de combiner les éléments de ces trois colonnes soit pour introduire de la variété dans la façon d'énumérer, soit pour pouvoir allonger la liste que l'on veut présenter.
Il est possible aussi de mettre en valeur dans une énumération un point particulier : **non seulement... mais aussi...**

Non seulement cette centrale nucléaire apportera des ressources supplémentaires à la commune, **mais** elle donnera **aussi** un grand nombre d'emplois aux habitants.

Non seulement l'horaire variable permet de diminuer la durée des trajets, **mais** il permet **aussi** à la mère de famille de mieux s'occuper de ses enfants.

Faire des concessions

VOUS AVEZ PARFAITEMENT LE DROIT D'ÊTRE CONTRE LA LIMITATION DE VITESSE SUR AUTOROUTE AINSI QUE 67,3 % DES CONDUCTEURS
pour aboutir à la conclusion suivante :

Non à la limitation de vitesse sur autoroute ! Tel est le point de vue, exprimé à une majorité écrasante, des Français et des Françaises qui empruntent ces voies modernes et savent de quoi ils parlent.

L'Auto-Journal n° 4, 1er mars 1974

Mais une telle façon de s'exprimer est brutale et même maladroite. Elle risque en effet de contrarier la personne à laquelle vous vous adressez. Il est plus habile **de reprendre l'argument de votre adversaire.** Vous reconnaissez qu'il peut avoir raison. Ainsi, il sera plus disposé à vous écouter. Vous faites une concession. Ensuite vous pourrez marquer votre opposition.
Par exemple, vous êtes contre la limitation de vitesse sur les autoroutes. Vous pensez que pour limiter les accidents, il vaut mieux lutter contre l'alcoolisme chez les conducteurs. Comment allez-vous le dire ?

1/Il est exact...

Il est exact que la limitation de vitesse sur les autoroutes peut entraîner une diminution du nombre d'accidents, **mais** il serait bien plus efficace de lutter contre l'alcoolisme chez les conducteurs.

2/S'il est certain...

S'il est certain que la limitation de vitesse sur les autoroutes peut entraîner une diminution du nombre d'accidents, **il n'en reste pas moins vrai qu'**il serait beaucoup plus efficace de lutter contre l'alcoolisme chez les conducteurs.

3/Il est en effet possible...

Il est en effet possible que la limitation de vitesse sur les autoroutes entraîne une diminution du nombre d'accidents, **cependant** il serait beaucoup plus efficace de lutter contre l'alcoolisme chez les conducteurs.

4/Tout en reconnaissant le fait...

Tout en reconnaissant le fait que la limitation de vitesse sur les autoroutes peut entraîner une diminution du nombre d'accidents, **il faut cependant noter qu'**il serait beaucoup plus efficace de lutter contre l'alcoolisme chez les conducteurs.

5/certes...

La limitation de vitesse sur les autoroutes peut **certes** entraîner une diminution du nombre d'accidents; il serait **cependant** beaucoup plus efficace de lutter contre l'alcoolisme chez les conducteurs.

6/quel que soit...

Quelle que soit l'efficacité de la limitation de vitesse sur les autoroutes, **elle ne saurait** entraîner une diminution importante du nombre d'accidents **si** on **ne** lutte **pas** en même temps contre l'alcoolisme chez les conducteurs.

EXERCICES

On va bientôt appliquer le nouveau système d'**horaire variable** dans une grande société d'assurances. La direction est favorable à cette modification. Les syndicats, par contre, ne sont pas du tout d'accord. A quel moment de la journée pourront-ils réunir leurs adhérents? Ils préféreraient que l'on améliore le système des transports. On interroge un responsable syndical à ce sujet. Que va-t-il déclarer?

1/Il est exact que l'introduction de l'horaire variable dans notre société peut faciliter la vie des employés, **mais** il serait bien plus utile, à mon avis, d'améliorer les transports en commun, mal organisés et peu confortables.

2/S'il est certain que... ______________________________

3/______________________________

4/______________________________

5/______________________________

Que peut répliquer le directeur du personnel aux propos du responsable syndical?

Devant les problèmes que posent les lycéens d'aujourd'hui, certains adultes proposent d'être plus sévères avec eux, de renforcer la discipline. On interroge un professeur à ce sujet. Il n'est pas d'accord. Selon lui, il faudrait tout revoir, les programmes, l'organisation des lycées... Comment va-t-il le dire ?

Il est exact que le renforcement de la discipline dans les lycées peut résoudre certains problèmes, **mais** il serait beaucoup plus utile de tout revoir, les programmes, l'organisation des lycées...

RÉCAPITULATION

Les expressions destinées à marquer une concession faite à l'adversaire sont très nombreuses. Ce procédé est en effet très utilisé lorsqu'on s'efforce de convaincre quelqu'un.
Vous pouvez employer :

Il se peut que...	**Il se peut que** cette décision soit efficace, **mais** elle est injuste.
Il n'est pas du tout impossible que...	**Il n'est pas du tout impossible** que la conquête de la Lune soit utile, **mais** on ferait mieux d'abord de s'occuper des malheureux sur la Terre.
L'intérêt de... est incontestable, reste à savoir si...	**L'intérêt présenté par** la voiture électrique **est incontestable, reste à savoir si** un tel procédé peut être développé sur une grande échelle.

Sans doute... mais...	La suppression du baccalauréat peut **sans doute** être bénéfique, **mais** il faudra de toutes façons établir un concours d'entrée dans l'enseignement supérieur.
Il ne fait pas de doute que... mais...	**Il ne fait pas de doute que** les immeubles modernes sont plus rationnels que les anciens, **mais** les gens, dans l'ensemble, ne les aiment pas.
Bien entendu... mais...	**Bien entendu,** vous pouvez rester une semaine de plus, **mais** vous devrez payer un supplément.
On peut parfaitement admettre...	**On peut parfaitement admettre** la nécessité de réformer les programmes de français, ce n'est pas une raison **toutefois** pour tout bouleverser.

Donner un exemple

Lorsqu'on expose des idées, il est souvent indispensable de *donner des exemples.* **Ils montrent ainsi que ce que l'on dit est vrai. De cette manière, on passe de réflexions générales à un cas particulier.**
Par exemple, considérons le cas de Michèle Jacquet et Claude Lebois : **même âge, même métier, mêmes problèmes, deux façons différentes d'organiser leur vie.**

Première remarque : Grâce à l'application de l'horaire variable, les mères de familles peuvent s'occuper de leurs enfants et de leur maison tout en continuant à travailler.

Illustrons cette remarque par des exemples.

1/ Grâce à l'application de l'horaire variable, les mères de famille peuvent désormais s'occuper de leurs enfants et de leur maison tout en continuant à travailler. **Considérons par exemple le cas de** Michèle Jacquet. Certains matins elle rentre au bureau à 10 h et peut ainsi faire ses courses...

2/ Grâce à l'application de l'horaire variable, les mères de famille peuvent s'occuper de leurs enfants et de leur maison tout en continuant à travailler. **Tel est le cas, par exemple, de** Michèle Jacquet. Certains matins... le mercredi après-midi...

3/ Michèle Jacquet, certains matins, rentre à son bureau à 10 h. Elle peut ainsi faire ses courses. Le mercredi après-midi elle sort à 16 h 30 pour s'occuper de ses enfants. **Son cas ne fait qu'illustrer celui** des mères de famille qui, grâce à l'horaire variable, peuvent s'occuper de leurs enfants et de leur maison tout en continuant à travailler.

4/ **Si l'on prend le cas de** Michèle Jacquet qui, certains matins, rentre à son bureau à 10 h et le quitte d'autres soirs à 16 h 30, on s'aperçoit que, grâce à l'application de l'horaire variable, les mères de famille peuvent s'occuper de leurs enfants et de leur maison tout en continuant à travailler.

5/

Grâce à l'application de l'horaire variable, les mères de famille peuvent s'occuper de leurs enfants et de leur maison tout en continuant à travailler. **L'exemple le plus significatif nous est fourni par** Michèle Jacquet qui, certains matins, peut rentrer à 10 h au bureau et ainsi faire ses courses.

6/

Grâce à l'application de l'horaire variable, les mères de famille peuvent s'occuper de leurs enfants et de leur maison tout en continuant à travailler.

premier exemple

L'exemple de Michèle Jacquet **confirme** cette amélioration. **Ainsi,** certains matins, elle peut rentrer à son bureau à 10 h et peut faire ses courses.

deuxième exemple

Un autre exemple nous est fourni par Mme X qui, le mercredi, sort plus tôt pour pouvoir s'occuper de ses enfants.

7/

Grâce à l'application de l'horaire variable, les mères de famille peuvent s'occuper de leurs enfants et de leur maison tout en continuant à travailler.

on cite ici un exemple se rapportant à la situation antérieure, quand cette mesure n'était pas encore appliquée.

Qu'il suffise de rappeler qu'en temps normal une mère de famille qui travaille est absente de chez elle de 7 h du matin à 7 h ou 8 h du soir. **Prenons le cas de** cette secrétaire, Claude Lebois...

EXERCICES

Considérons maintenant le cas de Claude Lebois.
Travailler à Paris lorsqu'on habite en banlieue pose à la mère de famille des problèmes de toutes sortes : garde des enfants, le temps pour faire les courses, la cuisine...

1/ Travailler à Paris lorsqu'on habite en banlieue pose à la mère de famille des problèmes de toutes sortes : garde des enfants, le temps pour faire les courses, la cuisine. **Considérons par exemple le cas de** Claude Lebois. Tous les matins elle se lève à 5 h 30 pour être à son bureau à 8 h 45. Le soir elle ne rentre jamais chez elle avant 7 h 30.

2/ **... tel est le cas par exemple de...**

3/ **... son cas ne fait qu'illustrer celui des...**

4/ **si l'on prend le cas de...**

5/ **... l'exemple le plus significatif...**

6/ **... l'exemple de... confirme...**

7/ **... qu'il suffise de rappeler que...**

Les vacances des ouvriers

Lisez et regardez la page 31 :

A partir de ces différents cas, illustrez par des exemples, les remarques générales suivantes :

1/Des ouvriers se plaignent de ne pouvoir sortir faute de moyens suffisants.

2/Pendant les grandes vacances, de nombreux ouvriers partent chez des parents de province ou chez des amis.

3/Les vacances en famille sont pour beaucoup d'ouvriers une conquête récente.

4/Beaucoup de travailleurs ont adopté le camping pour leurs vacances.

Pendant les vacances,
on se repose, on lave la maison.
On ne peut pas sortir.
Cela coûte trop cher.
*Pierre F. 45 ans,
marié, 2 enfants,
OS 2 peintre.*

On ne sort pas beaucoup.
Une fois par an, on va au cinéma.
Heureusement il y a la télévision.
C'est trop cher et on n'a pas le temps.
*Henri S., 39 ans,
marié, 3 enfants,
vérificateur.*

En vacances,
je fais du camping.
Cette année,
je suis allé au Portugal.
L'année dernière,
je suis allé en Yougoslavie.
J'étais parti avec
mes trois gosses et la R 4.
Nous avons campé.
*M. 37 ans, marié,
3 enfants,
agent technique.*

Ça fait quatre ans
que je pars en vacances.
On va en Gironde
chez une dame
qui me fait profiter de sa maison.
C'est depuis ça que je pars.
Autrement je n'ai pas
les moyens de payer
un loyer pour les vacances.
*André FF., 40 ans,
marié, 3 enfants,
OP 1 soudeur.*

C'est la première année
que je suis partie en vacances.
Je suis allée voir
ma famille au Portugal.
Mme D. C., 44 ans, OP 1.

J'ai été en vacances cette année
dans un village de toile
sur la Côte d'Azur.
Je n'en avais pas pris
depuis 1964, à cause
de la naissance de mes enfants.
*G. 26 ans, marié,
3 enfants, agent technique.*

vérificateur
dessinateur
agent technique
pontonnier
} spécialistes participant à la construction d'automobiles

d'après Jacques FREMONTIER
Renault forteresse ouvrière, **Fayard.**

OP 1 : ouvrier professionnel - 1er échelon
OS 2 : ouvrier spécialisé - 2e échelon

Hésiter

Faut-il rendre l'enseignement des langues étrangères obligatoire à l'école maternelle ? Telle est la question posée par un certain nombre d'enseignants. A cet âge-là, disent-ils, les enfants apprennent très vite à parler une autre langue. Il faut en profiter.

Mais tout le monde ne partage pas ce point de vue. Des personnes qui ont été consultées (parents d'élèves, psychologues, enseignants) s'interrogent.

1/

L'intérêt présenté par ce projet de rendre l'enseignement des langues vivantes obligatoire dans les écoles maternelles **est incontestable. Reste à savoir s'**il est raisonnable d'introduire si tôt cet enseignement chez des enfants qui ont souvent du mal à parler leur langue maternelle correctement.

2/

Tout en reconnaissant l'intérêt présenté par le projet de rendre l'enseignement des langues vivantes obligatoire dans les écoles maternelles, **nous estimons cependant qu'**il faut encore attendre. Il faut savoir en effet s'il est possible d'introduire si tôt cet enseignement chez des enfants qui ont souvent du mal à parler leur langue maternelle correctement.

3/

Dans l'état actuel des connaissances, **il est encore trop tôt pour savoir s'**il est raisonnable de rendre obligatoire l'enseignement des langues vivantes dans les écoles maternelles.

4/

Toutes ces réserves ne signifient pas que ce projet est à repousser. **Mais** avant de rendre l'enseignement des langues vivantes obligatoire dans les écoles maternelles, **il faudrait savoir s'**il est raisonnable d'introduire si tôt cet enseignement chez des enfants qui ont souvent du mal à parler leur langue maternelle correctement.

EXERCICE

Le Conseil Municipal de Paris doit examiner un nouveau projet. Il est question de construire, à côté du boulevard périphérique qui entoure Paris, une deuxième voie, le superpériphérique, pour faciliter la circulation. Les conseillers hésitent. Le projet coûte très cher.

1/L'intérêt présenté par ______________________________

2/______________________________

3/______________________________

4/______________________________

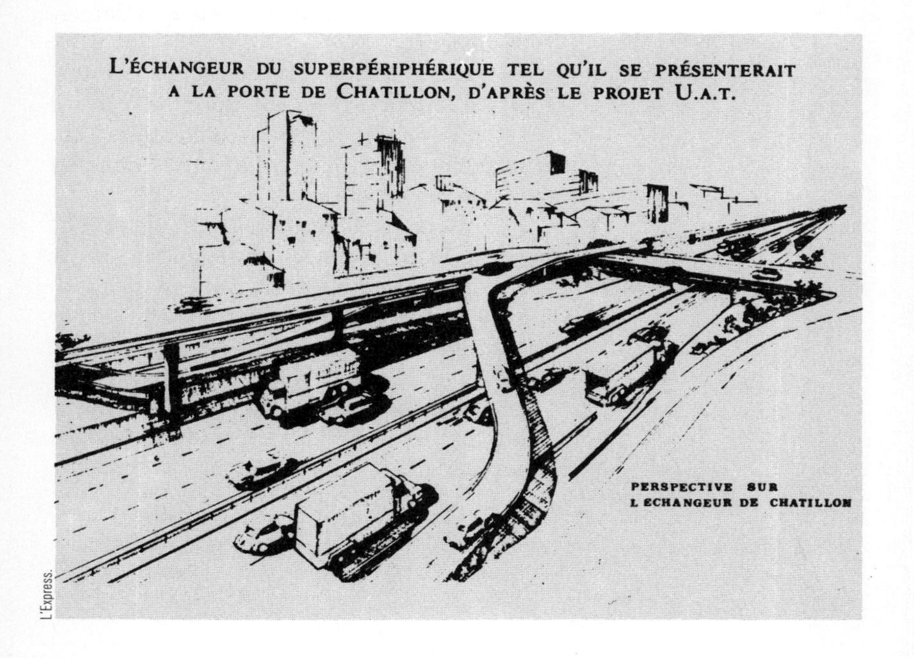

Une autre manière de marquer une hésitation

Une entreprise installe une partie de ses services en province, à Lyon. Une réunion a lieu pour décider du choix des moyens de liaison entre Paris et les services de Lyon. Après examen de ces documents une décision va être prise.

LE PALMARÈS

Temps de parcours total :

1) L'avion : 5 h 50
2) La voiture : 8 heures
3) Le train : 10 h 10.

Coût :

1) Le train : 201 F 40 (184 Francs pour un aller et retour Paris-Lyon en 1re classe — 1 F 40 de métro à Paris et 16 Francs de taxi à Lyon. — En seconde classe, le prix du billet aurait été de 122 Francs).

2) La voiture : 374 Francs (314 Francs représentant le coût des 952 km parcourus, sur la base de 0 F 33 du km — taux d'amortissement calculé par le fisc — 60 Francs de péage).

3) L'avion — 382 Francs (330 Francs pour l'aller et retour en classe touriste, 8 Francs de parking à Orly et 44 Francs de taxi à Lyon).

Souplesse des horaires :

1) La voiture, parce qu'on part et on revient quand on le veut.

2) Le train (9 trains par jour dans chaque sens).

3) L'avion (une douzaine de vols aller et retour tous les jours, sauf les samedis et dimanches, mais nécessité de prévoir son voyage au moins quarante-huit heures d'avance).

Temps utile pour lire, travailler :

1) Le train (80% de temps utilisable).
2) L'avion (30 %).
3) La voiture (0 %).

Confort-sécurité :

1) Le train
2) L'avion
3) La voiture.

L'Express, 26 octobre-1er novembre 1970.

1/le premier chef de service préfère le train à la voiture.

oui...
mais...

Tout en reconnaissant la supériorité de l'automobile pour la souplesse des horaires, **il faut** noter **cependant que, du point de vue** confort et sécurité, le train lui est bien supérieur. **A cet avantage s'ajoute** celui de la possibilité de lire et de travailler durant le trajet.

énumération

2/le second chef de service, lui, préfère l'automobile

oui...
mais...

Tout en reconnaissant la supériorité du train pour le confort et la sécurité, **il faut** noter **cependant que, du point de vue de** la souplesse des horaires et de la rapidité, l'automobile lui est bien supérieure. **A cet avantage s'ajoute** la possibilité de transporter plusieurs personnes pour le même prix.

énumération

3/le troisième chef de service, lui, préfère l'avion

oui...

mais...

énumération

Tout en reconnaissant la supériorité du train pour le confort et la sécurité et celle de l'automobile pour la souplesse des horaires et la rapidité, **il faut noter cependant que, du point de vue de** la rapidité du trajet, l'avion leur est bien supérieur. **A cet avantage s'ajoute** la possibilité de lire et de travailler durant le voyage.

EXERCICE

Acheter une maison pour passer le dimanche à la campagne, pour prendre l'air? Pourquoi ne pas louer et changer ainsi de région ou de village à chaque vacances?

Tout en reconnaissant ______________________________

____

RÉCAPITULATION

Si vous hésitez, cela veut dire que vous ne savez répondre ni oui, ni non. Le projet qui vous a été proposé présente des avantages, vous ne pouvez donc le refuser, mais il présente aussi des inconvénients, vous ne pouvez donc l'accepter. Vous préférez remettre la décision à plus tard. Il faut donc indiquer toutes ces notions. Vous pouvez le faire avec les expressions suivantes :

avantages		**inconvénients**
incontestablement **indéniablement** **il est sûr que** **sans aucun doute** **assurément** **certes** **indiscutablement** **il est certain que**	**CE PROJET** **EST** **INTÉRESSANT**	**cependant** **mais** **toutefois** **néanmoins** **pourtant**

On dira alors que **vous avez formulé des réserves.**

Conclure

De ces deux moyens de transports, quel est le plus économique pour se déplacer ? Quelles sont les conclusions de cette enquête ?

Train contre auto

Chaque année, régulièrement, le rail cédait du terrain à la route. Mais aujourd'hui, le train contre-attaque. Pour le voyageur, les données du choix sont changées. *Le Point* ouvre le dossier.

Coût du kilomètre SNCF *(pour un usager)*	
2e classe	1re classe
0,13 F	0,20 F

Source SNCF

prix du voyage

Auto : coût de revient réel du kilomètre *(un ou plusieurs usagers)*			
	Dyane 6 Citroën (3 Cv)	Renault 12 TL (7 CV)	504 GL Peugeot (11 CV)
Coût moyen sur route*	0,50 F	0,68 F	0,89 F
Autoroute	0,57 F	0,77 F	0,98 F

Source Auto-Journal

Auto : coût du «kilomètre roulant» *(un ou plusieurs usagers)*			
	Dyane 6 Citroën (3 CV)	Renault 12 TL (7 CV)	504 GL Peugeot (11 CV)
Coût moyen sur route*	0,20 F	0,27 F	0,33 F
Autoroute	0,27 F	0,36 F	0,42 F

Source Auto-Journal

le plus fréquent

1/Cette enquête **prouve donc que** le train est plus économique que l'automobile en voyage individuel.

2/Ainsi cette enquête **montre que** le train est plus économique que l'automobile en voyage individuel.

3/Finalement, il apparaît **que** le train est plus économique que l'automobile en voyage individuel.

4/En définitive, il semble bien, d'après cette enquête, **que** le train est plus économique que l'automobile en voyage individuel.

5/En résumé, on peut considérer que le train est plus économique que l'automobile en voyage individuel.

plus recherché

6/On voit par ce qui précède que le train est plus économique que l'automobile en voyage individuel.

7/Il résulte de ce qui précède que le train est plus économique que l'automobile en voyage individuel.

EXERCICES

1/Une enquête portant sur les loisirs chez les jeunes a montré que ceux-ci préféraient les activités collectives telles que le sport, les rencontres entre amis...
Rédigez les conclusions de cette enquête.

2/Les Français préfèrent, dans leur majorité prendre leurs vacances au mois d'août malgré les embouteillages, le monde sur les routes, les plages encombrées et le prix élevé des hôtels.
Rédigez les conclusions de cette enquête.

Les façons de convaincre

Il ne suffit pas de savoir utiliser convenablement ces différents outils pour devenir très habile dans l'art de construire un développement solidement construit.
Il faut aussi connaître la façon de les utiliser en vue de produire un effet. En les combinant, vous allez, par exemple, apprendre à

- *faire une mise au point (p. 42),*
- *justifier un choix (p. 46),*
- *répondre à des accusations ou à prendre la défense de quelqu'un ou de quelque chose (p. 56),*
- *présenter un projet (p. 64),*
- *formuler une objection (p. 67),*
- *exprimer une hypothèse (p. 71),*
- *répliquer aux propos de quelqu'un (p. 75).*

Une mise au point

Une importante société compte ouvrir une carrière pour exploiter des gisements près du village de Vézelay. Les habitants s'émeuvent. Ils craignent les tirs de mine, la poussière, le va-et-vient des camions. Ils ont peur de voir abîmer le paysage. Un certain nombre d'habitants de Vézelay se sont regroupés en une association de défense qui a écrit à la société qui doit exploiter la carrière ainsi qu'à différents journaux.
Un des directeurs de la société répond aux habitants du village.

Hétier / Atlas Photo.

Un charmant village
et un paysage merveilleux...
menacés par ÇA !!

Le Sauvage.

PREMIÈRE RÉPONSE

1/rappel

Mise en cause à propos de l'implantation d'une carrière près du village de Vézelay, notre société **tient à apporter les précisions suivantes.**

2/reconnaissance des faits suivie d'un démenti

Si l'exploitation de cette nouvelle carrière **risque** d'apporter quelques troubles à la population, notre société s'efforcera **cependant** de les réduire au minimum.

3/exemples qui serviront de preuve

En effet, il est prévu d'équiper les camions de telle sorte qu'ils ne répandent plus de poussière; ils passeront à l'extérieur du village pour ne pas gêner les habitants et les parties exploitées seront reboisées par la suite.

4/conclusion

On ne peut que s'étonner de voir notre société **accusée de** détruire l'environnement, **alors qu'**elle s'efforce, **bien au contraire,** de le protéger.

DEUXIÈME RÉPONSE

1/rappel

Dans un communiqué envoyé à la presse, les habitants de Vézelay **s'émeuvent** à l'idée qu'une carrière va être ouverte près de leur village.

2/reconnaissance des faits

Il est exact que l'exploitation de cette nouvelle carrière **risque** d'apporter quelques troubles à la population de Vézelay.

3/démenti

On a employé à ce sujet le terme de destruction du paysage. Or chacun sait que notre société s'est toujours efforcée de protéger la nature. **Depuis plusieurs**

années nous avons mis en place un système de protection : les camions ne répandent plus de poussière, ils passent à l'extérieur du village et les parties exploitées sont toujours reboisées.

4/conclusion

Sans que l'on puisse considérer ces résultats comme parfaits, **il semble déjà que** ce soit un progrès par rapport à ce qui se faisait autrefois.

TROISIÈME RÉPONSE

1/rappel de la nouvelle
reconnaissance
des faits

démenti

Si la nouvelle de l'implantation d'une nouvelle carrière près de Vézelay **est exacte, il n'est pas question cependant** de le faire à côté du village même, **mais de** l'exploiter de l'autre côté des collines d'où elle sera invisible.

2/conclusion

On ne peut donc parler de destruction du paysage comme certains l'ont fait.

3/preuves

Il n'en apparaît pas moins nécessaire, et notre société s'y emploiera, **de faire en sorte que** l'environnement ne souffre pas de l'exploitation de cette carrière : les camions ne répandront plus de poussière, ils passeront à l'extérieur du village pour ne pas déranger les habitants et les parties exploitées seront reboisées.

RÉCAPITULATIONS

Lorsqu'on fait **une mise au point,** on s'efforce de corriger l'opinion qu'une personne se fait de vous ou de quelque chose. Dans ce but, vous **rapportez** cette opinion en montrant qu'elle contient une part de vérité. Mais vous faites suivre cet exposé d'un **démenti** montrant que ceux qui vous avaient attaqué n'avaient vu qu'une partie du problème.
La **disposition des arguments** peut varier suivant que l'on est plus ou moins sûr de soi.

1	2	3
1 rappel	rappel	rappel reconnaissance des faits démenti conclusion
2 reconnaissance des faits démenti	reconnaissance des faits	
3 preuves	démenti	
	preuves	preuves
4 conclusion	conclusion	

Dans le cas 1, on se contente d'un bref rappel des arguments de l'adversaire **immédiatement** suivi du démenti illustré par un exposé des preuves. Le développement s'achève par une conclusion très nette.
Dans le cas 2, on consacre plus de place à l'exposé des arguments de l'adversaire pour se le rendre plus favorable et l'on achève par une conclusion plus nuancée.
Dans le cas 3, si l'adversaire est difficile à convaincre, on achève le développement par l'exposé de ses arguments en démontrant, par des preuves, qu'on a tenu compte de son avis.

Que choisir ?

1

M. Martin dirige à Paris une petite entreprise de laveries automatiques. Cinq magasins, dans cinq parties différentes de Paris. Il doit les visiter continuellement pour voir si tout se passe bien. M. Martin doit se déplacer toute la journée dans Paris. *Quel moyen de transport va-t-il choisir ?*

Jacques Verdol.

	Moyens de transport	Inconvénients
1	**l'automobile**	**embouteillages**
2	**le taxi**	**cher**
3	**le métro**	**éloignement des stations**
4	**l'autobus**	**trop lent**
5	**le cyclomoteur**	

REMARQUES

Circuler dans les grandes villes devient de plus en plus difficile. Quel moyen de transport faut-il choisir lorsque, comme M. Martin, il faut se déplacer toute la journée ?

1/premier choix possible

Première solution, l'automobile, **mais** les embouteillages et les difficultés de stationnement rendent son usage difficile.

2/deuxième choix possible

On peut utiliser **aussi** le taxi; **mais** cela revient très cher et, de plus, il est difficile d'en trouver aux heures de pointe.

3/troisième choix possible

Il y a bien le métro, **mais** les stations sont souvent éloignées de l'endroit où il faut se rendre.

4/autre choix possible

Quant à l'autobus, il est **beaucoup trop** lent et irrégulier.

5/conclusion

Ainsi le vélomoteur se révèle être **le seul** moyen de transport rapide et pratique pour se déplacer dans une grande ville.

2

M. Royer est employé dans une grande banque à Paris. Il hésite encore. Il ne sait pas où il va aller pour passer ses vacances.
Que va-t-il choisir ?

	Lieu de vacances	Inconvénients
1	la campagne	l'ennui
2	la montagne	l'altitude
3	un circuit en automobile	la fatigue
4	la ville	aucun changement
5	la mer	

REMARQUES

Pour passer ses vacances, M. Royer a le choix entre plusieurs possibilités.

1/première possibilité — **Il peut** aller à la campagne. **Mais** il a peur de s'y ennuyer.

2/deuxième possibilité — **Il y a aussi** la montagne. **Mais** M. Royer supporte mal l'altitude.

3/troisième possibilité — **Il pourrait encore** faire un circuit en automobile dans une région de France qu'il connaît mal; **mais** il trouve ce genre de vacances fatigant.

4/dernière possibilité — **Quant à** visiter d'autres villes, comme le font certains, **il n'en est pas question.** M. Royer ne rêve que de changements.

5/conclusion — **C'est pourquoi** il ira passer ses vacances au bord de la mer pour y trouver la détente, le soleil et le changement.

Les habitants d'un petit village situé sur les bords de la Loire apprennent que l'EDF va bientôt installer une centrale nucléaire sur le territoire de la commune. Ils sont inquiets. N'existe-t-il pas d'autres sources d'énergie? Un ingénieur de l'EDF leur expose le problème.

Habib / Gamma.

1

Gerster / Rapho.

2

Raymond Dityvon / Viva.

3

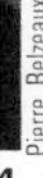

Pierre Belzeaux / Rapho.

4

Baranger.

5

1 Le pétrole?
Les réserves seront bientôt épuisées.
2 L'énergie solaire?
Elle relève du laboratoire.
3 Le charbon? Difficile à extraire et cher.
4 La géothermie? Ressources
mal réparties et difficiles à exploiter.
5 L'énergie nucléaire.

REMARQUES	DÉVELOPPEMENT
	Il est indispensable de trouver de nouvelles sources d'énergie. Or les possibilités de choix sont, à l'heure actuelle, très limitées.
1/première solution	Les réserves de pétrole sont **encore** importantes, **mais** elles sont limitées. Elles seront épuisées d'ici une trentaine d'années.
2/deuxième solution	Les réserves de charbon sont **aussi** très importantes, **mais** l'extraction revient très cher et n'est pas toujours très facile.
3/troisième solution	**Il y a bien** les ressources de la géothermie, **mais** elles sont très mal réparties et difficiles à exploiter.
4/quatrième solution	**Quant aux possibilités** d'utilisation de l'énergie solaire, cela relève **encore** du laboratoire.
5/conclusion	L'énergie nucléaire se révèle **donc** la seule source d'énergie immédiatement utilisable.

énergie nucléaire : énergie tirée de la transformation de l'uranium à l'intérieur des centrales nucléaires.

EXERCICES

Gilles Lévêque arrive de Montréal. Il doit atterrir au nouvel aéroport de Paris - Charles de Gaulle. Son ami Michel ne peut ce jour-là aller le chercher à sa descente d'avion. Il a beaucoup de travail. Il ne peut pas quitter son bureau. Comme l'aéroport est nouveau et que Gilles ne l'a jamais utilisé, Michel lui indique par lettre, parmi les différents moyens de transports qui existent pour rejoindre Paris, celui qui est le plus pratique.

Moyens de transport	Inconvénients
1/l'autobus Air-France - Roissy - Porte Maillot.	**s'arrête à la périphérie de Paris.**
2/l'autobus n° 305 – Roissy - Gare du Nord.	**peu confortable.**
3/rejoindre la gare de Goussainville en autobus.	**peu pratique.**
4/le taxi.	**cher mais pratique.**

1/Première possibilité ______________________________

______________________ **mais** ______________________

2/Tu peux aussi ______________________________

______________________ **mais** ______________________

3/Quant à ______________________________

______________ **donc** ______________________

Un groupe de jeunes lycéens allemands désire faire un séjour de deux semaines à Paris au mois de juillet. Mais ils ne peuvent pas consacrer beaucoup d'argent à l'hébergement. Un service spécialisé dans l'accueil des jeunes à Paris les renseigne à ce sujet.

Possibilités d'hébergement	Difficultés
1/un petit hôtel du Quartier Latin.	**trop petit.**
2/chez l'habitant.	**difficile en France.**
3/les auberges de la jeunesse.	**complet.**
4/la Cité Universitaire.	**n'accueille que les étudiants.**
5/le camping du Bois de Boulogne.	**le plus pratique.**

RÉCAPITULATION

Lorsqu'on veut **justifier un choix,** il faut **exposer** toutes les solutions qui auraient pu être adoptées et **expliquer** pourquoi elles ont été finalement repoussées. La solution choisie ne doit présenter aucun des inconvénients déjà signalés. Elle sera présentée **à la fin** du développement. Voici comment vous pouvez procéder :

	exposé	explication du refus
1/On commence par exposer la solution la plus évidente, celle qui vient immédiatement à l'esprit.	– **première solution.** – **première possibilité.** – **il y a tout d'abord...**	**mais...**

	exposé	explication du refus
2/On expose une deuxième solution qui semble acceptable.	**— on peut aussi...** **— il y a aussi...** **— il est possible aussi...**	**mais...**
3/Autre solution, mais beaucoup moins intéressante.	**— il y a bien...** **— on pourrait encore...**	**mais...**
4/Dernière solution envisagée, mais qui est la moins intéressante de toutes. On marque ainsi la fin de cette énumération.	**— quant à...**	**trop...** **il n'en est pas question parce que...**
5/La solution choisie est exposée à la fin de cette énumération.	**ainsi...** **donc...**	**s'avère | se révèle** être **le seul | la seule**

Mais il est possible de disposer d'une autre manière les différents éléments de ce développement pour placer **en tête** la solution choisie. Reprenons le problème de M. Martin :

Le vélomoteur est à l'heure actuelle **le seul** moyen de transport rapide et pratique pour se déplacer dans Paris.

En effet, on **ne** peut **pas** utiliser l'automobile **à cause** des embouteillages et des difficultés de stationnement.

Il n'est pas intéressant **non plus** de se servir des taxis **car** leur utilisation revient cher. D'autre part, il est difficile d'en trouver aux heures de pointe.

Le métro **n'est guère plus** intéressant, les stations **étant** souvent trop éloignées de l'endroit où il faut se rendre.
Quant à l'autobus, il est **beaucoup trop** lent et irrégulier.

Comment sont disposés alors les arguments? 1 /le choix ________ **X est le seul...** 2/justification ______ **en effet...**		
	exposé du refus	**cause de ce refus**
première solution rejetée	**on ne peut pas...**	**à cause de...**
deuxième solution rejetée	**il n'est pas... non plus**	**car...**
troisième solution rejetée	**le/ /n'est guère plus**	**étant...**
dernière solution rejetée	**quant à...**	**beaucoup trop**

Cette disposition est beaucoup plus vigoureuse que la première et sert à marquer nettement une position.
Reprenez ce même procédé de présentation à propos de :
— M. Royer et ses vacances,
— l'installation d'une centrale nucléaire,
— le trajet de l'Aéroport Charles-de-Gaulle — Paris,
— l'accueil des jeunes à Paris.
Il peut arriver aussi que l'on ait à exprimer un choix entre deux solutions, uniquement, et que l'on n'indique pas la préférence. Dans ce cas, on est libre de choisir l'une ou l'autre. On peut l'exprimer ainsi :

Pour aller de Nice à Monte-Carlo vous pouvez emprunter **soit** la basse corniche, par Villefranche-sur-Mer, **soit** la moyenne corniche. **La**

première est encombrée, mais elle passe par le bord de mer, **la seconde** est plus rapide, mais le parcours est moins agréable.

1/première possibilité	**soit...**
2/deuxième possibilité	**soit...**
3/exposé des avantages réciproques	**la première...** **la seconde.**

Ou bien :

Pour aller de Nice à Monte-Carlo vous pouvez emprunter la basse corniche, par Villefranche-sur-Mer, **ou bien** passer par la moyenne corniche. **La première** est...

1/première possibilité	**faire telle chose**
2/deuxième possibilité	**ou bien**
3/exposé des avantages réciproques	**la première...** **la seconde.**

EXERCICES

Sur les thèmes suivants reprenez cette façon d'exposer un choix :

objectif :	**Un étudiant italien veut se perfectionner en français**
1	**Stage intensif de trois semaines à l'université de Grenoble.**
2	**Séjour de deux mois dans une famille française.**

objectif :	**Acheter un appartement.**
1	**A crédit : intérêts élevés, faible apport initial.**
2	**Comptant : pas d'intérêts, très grosse somme à verser.**

Prendre la défense de...

1
La bande dessinée est-elle un genre mineur?

Ce que beaucoup de gens pensent	Et pourtant...
Trop d'images dans les B. D. Les B. D. poussent les jeunes à la paresse.	La lecture des B. D. aide les jeunes à **mieux apprécier le cinéma et la télévision.**
Les B. D. sont écrites en mauvais français. Les B. D. sont responsables de la faiblesse des élèves en français.	Les B. D. peuvent **aider et préparer les jeunes à lire** plus tard **des romans** (intrigue, personnages...)
Les B. D. ne sont pas un art puisqu'on les trouve dans tous les journaux. Les B. D. n'ont pas leur place à l'école.	**Un art vivant n'est pas dans un musée.** En étant publiées dans les journaux, **les B. D. sont un art à la portée de tous.**

Comment répondre alors, à partir de ces éléments, à la question qui vient d'être posée ?

REMARQUES	DÉVELOPPEMENT
1/exposé rapide de la question telle qu'elle est vue par l'adversaire	Les jeunes d'aujourd'hui ne lisent plus que des B. D. et de ce fait sont incapables de lire le roman le plus simple. A cause d'elles les jeunes ne manifestent plus le moindre intérêt pour la grande littérature. Telles sont les réflexions que l'on entend le plus souvent à leur sujet.
2/premier argument de l'adversaire	**Il est exact que** les B. D. sont plus faciles à lire qu'un roman grâce aux images. Leur lecture réclame moins d'efforts et peut ainsi pousser certains lecteurs à la paresse.

3/deuxième argument de l'adversaire	**Il est certain aussi** que le français utilisé dans les B. D. n'est pas toujours d'un excellent niveau et que cette lecture n'améliorera pas la façon de s'exprimer de certains jeunes.
4/troisième argument de l'adversaire	**Il est vrai, encore,** que la B. D. est publiée dans des journaux qui ne présentent guère d'intérêt sur le plan culturel, ce qui peut faire dire à certains que la B. D. n'est pas un art et qu'ainsi elle ne peut avoir sa place à l'école.
5/première conclusion qui semble approuver les thèses de l'adversaire	**On comprend fort bien alors que** certains éducateurs puissent porter des jugements très sévères sur les B. D.
6/transition	**Et pourtant,** malgré ses défauts, la B. D. mérite plus d'indulgence. Son succès auprès de tous les jeunes prouve qu'elle présente un intérêt certain.
7/première réplique	**Tout d'abord,** par l'utilisation de l'image, la B. D. peut aider à mieux faire apprécier le cinéma et la télévision.
8/deuxième réplique	**Ensuite,** elle peut préparer à lire plus tard des romans dans la mesure où l'histoire se déroule de façon identique (intrigue, personnages, descriptions, etc.).
9/troisième réplique	**Enfin,** le fait d'être publié dans les journaux ne justifie pas la condamnation de la B. D. Un art vivant ne se trouve pas dans un musée. Il est ainsi à la portée de tous.
10/conclusion générale	**On voit bien par ce qui précède qu'**il ne faut pas hésiter à modifier certains jugements trop sévères sur un phénomène qui passionne les jeunes et les grandes personnes.

2

Peut-on vivre dans les « grands ensembles » ?

Niépce / Rapho.

Difficulté de s'adapter dans les grands ensembles (Paris).

Ciccione / Rapho.

Sarcelles.

Ce que tout le monde pense	Ce qui se passe en réalité
Immenses avenues désertes → ennui. **Uniformité des immeubles → monotonie.** **Les gens ne se connaissent pas → solitude.**	**Les logements sont spacieux.** **Les logements sont confortables.** **Les locataires s'entraident.**

Que peut-on répondre à tout cela?
La vie dans les grands ensembles est faite d'ennui et de monotonie, ce qui entraînerait suicides et dépressions nerveuses. **Tel est le tableau que** l'on dresse habituellement de la vie que l'on mène dans des endroits comme Sarcelles ou Massy-Antony.

Qu'en est-il exactement?
Il est exact que les avenues très larges, peu fréquentées donnent souvent l'impression d'être désertes.
Il est certain, aussi, que l'architecture manque de variété. De grands blocs de béton, tous identiques, donnent une grande impression d'uniformité.
Outre le cadre général, les gens **souvent** ne se connaissent pas et **peuvent** souffrir de la solitude.
On comprend alors, ce peut être le cas de Sarcelles, que certains puissent juger sévèrement de tels ensembles d'habitation et s'interroger sur les conditions réelles de vie dans de tels endroits.
Et pourtant, si l'on interroge les habitants de ces grands ensembles, l'appréciation est différente.
Tout d'abord les gens apprécient le confort des logements. Ils sont spacieux, aérés, plus confortables que les vieux logements de Paris.
D'autre part les gens, dans bien des cas, préfèrent les lignes nettes de ces immeubles neufs aux vieilles maisons sombres et sales de certains quartiers de Paris.

Quant à la solitude et au désespoir, les gens de Sarcelles n'y croient pas. Les voisins s'entraident, il y a des associations de toutes sortes. Une certaine forme de vie collective existe.
On voit bien par ce qui précède que l'on doit juger de façon plus nuancée certains aspects de la vie moderne.

EXERCICE

Les lycéens de 1975 sont-ils de mauvais élèves?

Ce que tout le monde pense	Ce qui se passe en réalité
Les élèves d'aujourd'hui ne savent rien.	Ils sont très informés sur tout ce qui se passe dans le monde.
Les élèves d'aujourd'hui ne s'intéressent à rien.	Ils sont passionnés par toutes sortes de sujets qui ne sont jamais abordés en classe.
Les élèves d'aujourd'hui ne savent plus écrire.	On ne leur a jamais appris à écrire.

3

Autrefois, les « classiques » étaient très appréciés dans les lycées. Beaucoup d'élèves d'aujourd'hui ne veulent plus en entendre parler. Boileau, Corneille sont pour beaucoup des inconnus. Et pourtant, **faut-il supprimer les auteurs classiques des programmes des lycées? Que pourriez-vous dire pour** *prendre leur défense, tout en reconnaissant que* **leur étude aujourd'hui peut présenter bien des difficultés?**

mise en place ____________________

exposé des critiques des jeunes ____________________

première conclusion ____________________

transition ____________________

répliques ____________________

conclusion générale ____________________

RÉCAPITULATION

Lorsqu'on prend la défense de quelqu'un ou de quelque chose, **on répond aux critiques** qui ont déjà été faites. On pourrait se contenter d'exposer les seuls arguments qui sont en faveur de la personne ou de l'institution que l'on veut défendre. Mais il est beaucoup plus habile de **rappeler les arguments de l'adversaire** pour pouvoir ensuite y répondre. On montre ainsi que l'on est au courant des critiques qui ont été faites, que l'on connaît les accusations qui ont été portées. La défense paraît ainsi plus solide.

	Les moments de la défense	Les moyens de l'exprimer
Mise en place	1/Rappeler la position générale de l'adversaire, ce qu'il a l'habitude de dire.	**... tel(les) sont les réflexions, les paroles...** **... voilà ce qu'on entend le plus souvent (voir p. 9).**
Exposé des critiques de l'adversaire	2/Reprendre et exposer les critiques de l'adversaire. On reconnaît ainsi qu'il peut avoir raison et que son point de vue peut se justifier. De cette manière, votre lecteur vous sera plus favorable. On pourra utiliser : — les formules de concession, — les procédés d'énumération, — les exemples. Cette première partie s'achève par une conclusion provisoire. Il semble que l'on approuve le point de vue de l'adversaire.	**il est exact que...** **il est vrai que...** **il se peut que...** **tel... peut laisser croire que...** **tel... peut donner l'impression de...** **etc...** (revoir les **formules de concession, p. 26).** **on comprend alors que...** **de tels... peuvent ainsi justifier...**
Transition	3/Transition : on passe de l'exposé des arguments de l'adversaire à leur critique.	**et pourtant... or...** **cependant... (voir p. 38).**
Réponse aux critiques	4/On répond aux accusations de l'adversaire en énumérant un certain nombre d'arguments.	**tout d'abord...** **en premier lieu...** **puis...** **d'autre part...** **par ailleurs...** **enfin...** **quant à... (p. 21).**
Conclusion	5/Conclusion générale qui contredit ce qui a été exposé dans l'introduction.	**on voit bien par ce qui précède...** **on s'aperçoit donc...** **(p. 40).**

Il faut... Il n'y a qu'à...

La cuisine française est une des meilleures, dit-on. Mais pour « mitonner » de « bons petits plats » il est souvent nécessaire de passer deux ou trois heures dans sa cuisine. Comment faire lorsqu'il faut travailler et que l'on dispose de peu de temps pour faire ses courses : les Français vont-ils devoir manger des « hamburgers » et des « hot-dogs » ?
Michèle Carpentier, chargée de la chronique culinaire dans un grand hebdomadaire féminin, répond à cette grave question :

1/introduction	Concilier les exigences de la vie moderne et le goût pour la cuisine traditionnelle n'est pas facile. **Cependant** il est possible d'y parvenir à condition de savoir s'organiser.
2/première condition explication	**En premier lieu, il faut** établir à l'avance le menu de la semaine. **En effet,** il n'est pas possible de faire ses courses tous les soirs. Les achats de la semaine seront faits en une seule fois, ce qui délivrera la ménagère du souci du ravitaillement pour le reste de la semaine.
3/deuxième condition	**En second lieu, il faut** choisir des aliments qui puissent se conserver longtemps. **Tout d'abord** il y a les traditionnelles conserves qui peuvent rendre

mitonner : mot de la langue familière pour dire que l'on prépare quelque chose avec amour et avec soin.

de grands services. Il y a **aussi** les semi-conserves que l'on peut garder chez soi pendant trois ou quatre jours. **Enfin** il ne faut pas hésiter à se servir des surgelés qui permettent de disposer chez soi de toutes sortes de produits à n'importe quelle saison de l'année.

4/troisième condition

Enfin, on s'efforcera de simplifier la cuisine et de choisir les recettes les plus simples. On réservera pour le dimanche ou les jours de fête les plats très raffinés et très longs à préparer.

5/conclusion

Si l'on suit tous ces conseils, il est encore possible de manger chez soi de la bonne cuisine tout en continuant à travailler à l'extérieur.

EXERCICES

Un village de Bretagne décide de rassembler les terres de la commune qui sont trop dispersées. On parle dans ce cas de **remembrement.** Mais ce genre d'opération se heurte souvent à de nombreuses difficultés. L'ingénieur du génie rural, responsable de l'opération, écrit au maire du village pour lui exposer le détail des opérations :
— convaincre les paysans :
— présentation du projet,
— discussion avec les paysans,
— examen de réalisations semblables;
— ne pas tout raser :
— préserver les haies,
— conserver les vieux chemins,
— répartir les terres équitablement suivant leur valeur.

Le Conseil Municipal de Saint-Gratien (commune du Val-d'Oise) décide de construire une Maison des Jeunes. Un des conseillers est chargé d'exposer le projet dans ses grandes lignes. Il insiste sur les points suivants :
— construire un local agréable;
— trouver un animateur pour s'occuper de :
  — la troupe de théâtre,
  — l'organisation de conférences,
  — voyages et échanges;
— prévoir un budget de fonctionnement assez important.
Rédigez ce projet.

RÉCAPITULATION

Si vous avez un projet à exposer, c'est que vous comptez le voir adopter. Il faut donc être très clair et très convaincant. Vous devez montrer à ceux qui vous lisent que vous êtes sûr de vous et que vous savez où vous allez. Dans cette intention, il faut marquer très clairement les différentes étapes de votre action :
1 - reprendre les formules de l'énumération (p. 18);
2 - justifier chacun des points proposés :
— en effet...
— il ne suffit pas de...
Il faut aussi respecter une certaine **progression** de telle manière que vous acheviez par le point qui vous semble essentiel, celui qui restera le dernier dans l'esprit de vos lecteurs. Il est donc très important de **disposer** les arguments dans un ordre qui dépendra de l'effet que vous cherchez à produire sur vos lecteurs.
Si vous avez l'impression que l'action à mener peut l'être sans beaucoup de difficultés, vous pouvez remplacer **il faut** par **il n'y a qu'à, il suffit de...** Mais il ne faut pas abuser de ce genre de formule qui pourrait gêner certains de vos lecteurs. Vous devez montrer au contraire que vous vous rendez compte de toutes les difficultés qui existent pour mener ce projet à bien.

Pas d'accord

Pendant les trois premiers mois de l'année, les accidents mortels en automobile ont diminué de 30 %. Pour certains, cette diminution s'explique par les mesures de limitation de vitesse.

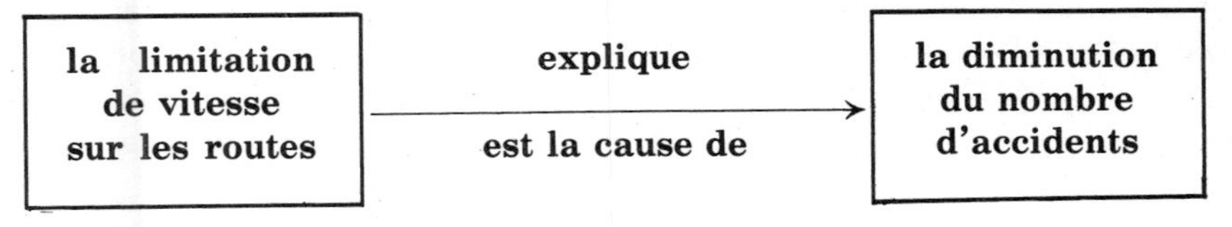

Mais tout le monde n'est pas d'accord, surtout ceux qui sont opposés à la limitation de la vitesse sur les routes.
Si vous êtes comme ces gens-là...
... vous pouvez vous exprimer ainsi

1/Rappel de la position de votre adversaire

On voudrait nous faire croire que la diminution du nombre d'accidents observée pendant les trois premiers mois de l'année **est due aux** mesures de limitation de vitesse.

2/Vous repoussez cette explication et... vous donnez la vôtre

En fait, il aurait très bien pu y avoir autant d'accidents **si**, au même moment, il n'y avait pas eu un ralentissement de la circulation et **si** les gens n'avaient pas mis leurs ceintures de sécurité.

3/Conclusion

L'explication selon laquelle la limitation de la vitesse sur les routes serait à l'origine de la diminution des accidents **ne peut donc être retenue.**

Pour résumer :

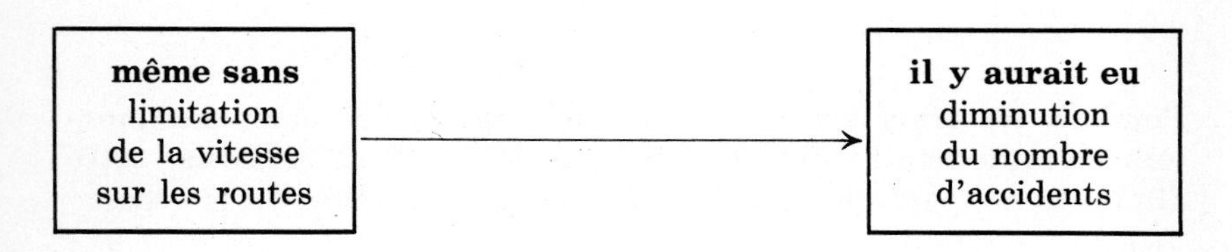

... vous pouvez vous exprimer ainsi :

1/Rappel de la position de votre adversaire

On voudrait nous faire croire que la diminution du nombre d'accidents observée pendant les trois premiers mois de l'année **est due aux** mesures de limitation de vitesse.

2/Vous repoussez cette explication et vous donnez la vôtre

Or tout le monde sait bien que, **de toute façon,** les accidents auraient diminué à la fois **parce que** la circulation avait connu un certain ralentissement durant cette période et **que** les gens commencent à mettre la ceinture de sécurité.

ou bien ...

Même si cette mesure n'avait pas été prise, **de toute façon,** les accidents auraient diminué, la circulation **ayant connu** un certain ralentissement durant cette période et les gens **commençant** à mettre la ceinture de sécurité.

ou bien ...

Quand bien même cette mesure n'aurait pas été prise, **de toute façon,** les accidents auraient diminué, la circulation...

3/Conclusion

On comprend bien ainsi que la limitation de vitesse **n'est pour rien dans** la diminution du nombre d'accidents.

Pour résumer :

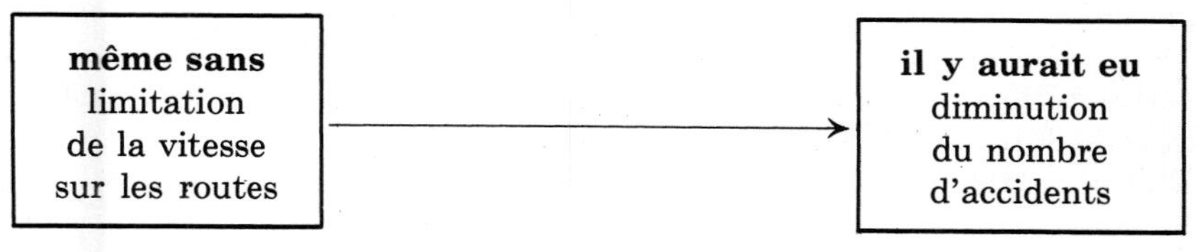

... ou bien :

1/Vous rappelez les positions de votre adversaire

On voudrait nous faire croire que la diminution du nombre d'accidents mortels observée pendant les premiers mois de l'année **est due** aux mesures de limitation de vitesse.

2/Vous repoussez cette explication

Or on a déjà observé de telles diminutions d'accidents à d'autres époques où la limitation de vitesse n'était pas imposée.

ou bien...

Or dans d'autres pays ayant observé cette limitation, le nombre d'accidents n'a pas diminué.

3/Conclusion Vous donnez votre explication

On ne peut donc considérer cette mesure **comme étant à l'origine de** la diminution du nombre d'accidents. **Il faudrait plutôt** insister sur le ralentissement de la circulation durant cette période et le fait que les gens commencent à mettre leur ceinture de sécurité.

EXERCICES

— Chaque année, le nombre de spectateurs dans les salles de cinéma diminue. Selon certains, la télévision est responsable de cette situation, pour d'autres ce sont les sorties de fin de semaine en automobile. Êtes-vous d'accord ?

— Les films de violence sont responsables de l'augmentation de la délinquance observée chez les jeunes des grandes villes.
Êtes-vous d'accord avec cette interprétation des faits ?

RÉCAPITULATION

Explication avancée	**A** **La limitation de la vitesse**	**est cause de**	**B** **diminution du nombre d'accidents**
Réfutation	**Même avec**		**il n'y aurait pas eu de... si**
Réfutation	**Même sans**		**il y aurait eu...**

Déroulement :
1/Rappel des positions ou des théories de votre adversaire :
— **on voudrait nous faire croire que...**
— **X prétend que... suggère que...**
— **X attribue tel... à...**
2/Réfutation :
— **or...**
— **de toute façon... quand bien même... même si...**
3/Conclusion :
— **Donc...**

Hypothèses

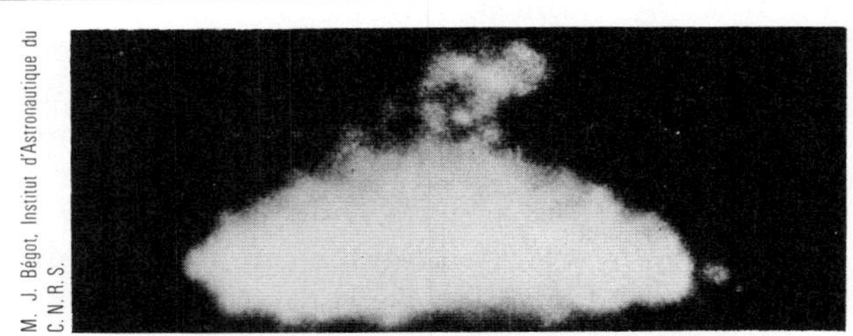

M. J. Bégot, Institut d'Astronautique du C.N.R.S.

Est-ce un O. V. N. I. (Objet Volant Non Identifié) ?

Première hypothèse

1/Les faits

Rappelons les faits : dans la nuit du 4 février, un habitant des environs de Lyon prend cette photographie.

2/Première hypothèse, qui est écartée

Seconde hypothèse écartée

Ce pourrait être une étoile filante. **Pourtant** cette nuit-là, on ne signale ni orage, ni météore dans cette partie du ciel. **Il ne semble pas possible non plus d'attribuer** cet éclair aux débris d'un satellite artificiel ou aux restes d'un ballon-sonde.

3/Hypothèse retenue

Certains **ont alors évoqué la possibilité** d'un O. V. N. I. qui se serait approché de la Terre. **Ils supposent que** ces mystérieux objets volants sont des vaisseaux de l'espace venus de planètes lointaines pour observer la Terre.

4/Conclusion, généralisation

Tout ceci **expliquerait** l'apparition de certains objets dont l'origine est mystérieuse.

Rejet de l'hypothèse	
1/Affirmation	**Malheureusement pour** les partisans des O. V. N. I., l'Observatoire de Paris **vient de rejeter l'hypothèse selon laquelle** la photographie prise dans la nuit du 4 février représenterait un O. V. N. I.
2/Démenti	**Il s'agissait tout simplement d'**un météore venu de la constellation Alpha du Centaure et qui s'est désintégré dans
Explication	la haute atmosphère. L'éclair lumineux **observé sur** la photographie **est dû à** la désintégration du météore **sous l'effet de** la chaleur au contact de l'atmosphère.
3/Conclusion	**L'hypothèse de** l'existence desO.V.N.I. **est** encore une fois **remise en question.**

EXERCICES

UN MYSTÈRE

Un soir d'été, une malade, seule au premier étage d'une maison de campagne, se tourne et se retourne dans son lit; par la fenêtre ouverte, un marronnier pousse ses branches dans la chambre. Au rez-de-chaussée plusieurs personnes sont réunies, elles causent et regardent la nuit tomber dans le jardin. Tout à coup, quelqu'un montre le marronnier : « Tiens, tiens ! Mais il y a donc du vent ? » On s'étonne, on sort sur le perron : pas un souffle; pourtant le feuillage s'agite. A cet instant, un cri ! le mari de la malade se jette dans l'escalier et trouve sa jeune épouse dressée sur le lit qui désigne l'arbre du doigt et tombe morte; le marronnier a retrouvé sa tranquillité habituelle. Qu'a-t-elle vu ? Un fou s'est échappé de l'hôpital : ce sera lui, caché dans l'arbre, qui aura montré sa face grimaçante. C'est lui, il *faut* que ce soit lui car aucune autre explication n'est satisfaisante. Et pourtant... Comment ne l'a-t-on pas vu monter ? Ni descendre ? Comment les chiens n'ont-ils pas aboyé ? Comment a-t-on pu l'arrêter, six heures plus tard, à cent kilomètres de la propriété ?

d'après Jean-Paul Sartre,
Les Mots, Gallimard.

désintégration : destruction d'un corps céleste au contact des premières couches de l'atmosphère.

Un journaliste fait une enquête sur ce mystère. Il interroge les habitants du village. Pour eux, il n'y a qu'une seule explication : « La Mort secouait les branches du marronnier. » (Sartre)
Le journaliste rédige cet article.
Rappelons les faits.

____

Ce pourrait être ______________________________________

____

Un médecin qui n'est pas du tout convaincu par cette théorie, après avoir examiné la malade, déclare qu'elle a eu un violent accès de fièvre qui a déterminé des troubles de la vision (des hallucinations). Cette fièvre est la cause de la mort de la malade. Il écrit au journal pour rétablir la vérité.

Malheureusement pour ______________________________________

____

Un avion vient de s'écraser dans les Alpes : 120 morts. On retrouve des épaves dispersées dans la montagne. On s'interroge sur les causes de l'accident.
1re hypothèse : – une erreur de pilotage;
2e hypothèse : – une panne du radar.
Quelques jours plus tard, on retrouve un enregistrement. C'était bien une panne de radar.
Écrivez :
1/les hypothèses émises par les journalistes;
2/les conclusions de la commission d'enquête.

RÉCAPITULATION

Si vous ne connaissez pas la cause exacte d'un phénomène, vous en êtes réduit à **émettre des hypothèses** :
— C'est **peut-être** la bombe atomique qui est à l'origine du mauvais temps.
— Certains **attribuent** le mauvais temps **à** la bombe atomique.
— La bombe atomique est **certainement** à l'origine du mauvais temps.
— Certains **expliquent** le mauvais temps **par** la bombe atomique.
— Le mauvais temps est **probablement** dû à la bombe atomique.
— Certains **supposent que** le mauvais temps est dû à la bombe atomique.
— D'après certains, la bombe atomique **pourrait** être à l'origine du mauvais temps.
On pourra alors vous répondre, ne pas être d'accord avec vous sur cette explication : **on formulera des objections** :
— **Il n'est pas possible d'admettre** l'hypothèse selon laquelle la bombe atomique est à l'origine du mauvais temps.
— L'hypothèse selon laquelle la bombe atomique est à l'origine du mauvais temps **n'est pas vérifiée.**
— L'hypothèse selon laquelle la bombe atomique est à l'origine du mauvais temps **ne peut pas être retenue.**
Si vous **rejetez l'hypothèse** de votre adversaire, si vous **contestez son interprétation,** il faut que vous le justifiez, que vous apportiez **une preuve.**
— **En effet,** on **s'est aperçu que... a constaté que... a remarqué que...**
qui vous permet de **déduire** une interprétation opposée à celle de votre adversaire :
— **ce qui tendrait à prouver que...**
— **ce qui confirmerait l'hypothèse de...**
— **ce qui remettrait en cause l'explication selon laquelle...**
Vous employez le conditionnel si vous n'avez pas de preuve matérielle; dans le cas contraire, ou si vous êtes sûr de vous, vous utilisez l'indicatif.

Il dit que...

Plusieurs tours existent déjà à Paris. Pourquoi ne pas en construire une de plus ? De toute façon je suis obligé de construire en hauteur parce que la surface au sol est très limitée.

Marineau / Zaï photos.

Ces tours ne sont pas faites pour Paris. Elles sont laides. On construit en hauteur pour gagner de l'argent. Etre moderne ne veut pas dire qu'il faut imiter New York !

Après avoir entendu le défenseur de l'environnement, le promoteur immobilier proteste :

1/Les données du problème

Les tours dans Paris **font** à l'heure actuelle **l'objet d'attaques violentes** de la part de gens qui prétendent défendre l'environnement. On voudrait même interdire la construction d'une tour de 150 mètres de hauteur près de la Seine.

2/Attaque/Réfutation

Cette construction **est présentée à tort comme** scandaleuse. **En effet, il faut faire remarquer qu'**une dizaine de tours de ce genre existent déjà dans Paris et que cela ne pose pas de problèmes.

3/Défense

A ceci s'ajoute le fait que la surface au sol est très limitée, **ce qui oblige à** construire en hauteur.

4/Conclusion

En dernier lieu, on peut se demander pourquoi il faudrait empêcher la construction d'immeubles qui font de Paris une ville moderne, digne du XXe siècle.

Après avoir lu cette déclaration, le défenseur de l'environnement réplique :

1/Les données du problème

Les constructeurs de tours **s'étonnent des** attaques dont ils sont l'objet.

2/Rappel des paroles du promoteur

Ils font valoir comme argument le fait que plusieurs tours existent déjà dans Paris et **qu'**elles n'ont pas posé de problèmes.

Concession

Effectivement ces tours existent et c'est regrettable.

Contre-attaque

Mais est-ce une raison suffisante pour admettre la construction d'un immeuble de plus de 150 mètres de hauteur tout près de la Seine et qui se verra à des kilomètres à la ronde ?

3/Autre appel

Attaque

Ils affirment aussi que la surface au sol est très limitée, ce qui les oblige à construire en hauteur. **Mais qui,** justement, **les oblige à** construire si haut? **En fait,** ils veulent ainsi augmenter leurs bénéfices.

4/Dernier rappel

Quant à l'argument selon lequel ces tours font de Paris une ville moderne, les promoteurs **devraient savoir qu'**être moderne ne signifie pas qu'il faut imiter New York sur les bords de la Seine.

EXERCICE

Changeons les rôles. Le promoteur va s'exprimer avec les expressions du défenseur de l'environnement et ce dernier avec les expressions du promoteur.

1/le défenseur de l'environnement

On voit, à l'heure actuelle, apparaître dans le ciel de Paris des constructions de plus en plus hautes qui défigurent la ville.
Ces constructions **sont présentées à tort comme** ______________________

____

2/le promoteur immobilier

Les défenseurs de l'environnement **s'étonnent des** ______________________

____

Pour ou contre

La publicité envahit les journaux, la télévision, la radio. Tout le monde n'est pas d'accord pour apprécier cette invasion.

Pour :
— La publicité est agréable à regarder.
— La publicité informe les acheteurs.
— La publicité permet de vendre les journaux moins cher.

Contre :
— La publicité envahit les journaux et la télévision. On est obligé de la supporter.
— La publicité pousse les gens à acheter des produits inutiles.
— La publicité coûte très cher. Elle augmente le prix des produits achetés par les consommateurs.

Ceux qui sont favorables à la présence de la publicité dans les journaux et à la télévision disent :

1/Rappel du problème

Pour justifier leur point de vue, les adversaires de la publicité à la télévision et dans les journaux **présentent trois sortes d'arguments.**

2/Reprise du premier argument de l'adversaire qui est déjà condamné : « **prétendue** » + commentaire défavorable de cet argument.

Il y a tout d'abord la **prétendue** invasion de la télévision et des journaux par la publicité, qui **obligerait** les gens à la regarder. **Inutile d'y insister.** Personne n'est obligé de la regarder. Il faut noter cependant que beaucoup de téléspectateurs et de lecteurs la trouvent agréable. Pourquoi faudrait-il alors la supprimer ?

3/Reprise du second argument, avec *commentaire*. Les limites de cet argument.

Le deuxième argument est beaucoup plus solide. La publicité, dit-on, **pousserait** les gens à acheter des produits inutiles. Nul n'est obligé d'acheter un produit et le fabricant a le droit d'informer le client de l'existence de ce nouveau produit et d'en montrer les qualités.

4/Dernier argument de l'adversaire.

Le troisième argument insiste sur le fait que la publicité revient très cher à l'industriel et qu'elle augmente ainsi le prix du produit. **Faut-il** alors supprimer la publicité qui permet aux journaux et à la télévision de vivre et d'être ainsi moins chers?

Ceux qui sont opposés à cet envahissement des écrans et des pages de journaux par la publicité répliquent :

1/Rappel du problème et des positions de l'adversaire.

Les personnes favorables à la publicité **s'étonnent que** l'on veuille limiter sa place et que l'on ne soit pas sensible à ses charmes.

2/Premier argument invoqué. Réplique.

Elles font valoir comme argument le fait que la publicité est agréable à regarder, qu'elle rend les journaux plus gais dans leur présentation. **Il faut faire remarquer, cependant, que** même si elle peut être agréable à regarder, la place qu'elle occupe est beaucoup trop importante. Les journaux se transforment en catalogues publicitaires.

3/Deuxième argument de l'adversaire. Réplique.

Elles affirment aussi que la publicité est indispensable parce qu'elle informe les acheteurs. **En fait** la publicité pousse les gens à acheter des produits inutiles. Elle n'informe pas, elle trompe.

4/Dernier argument de l'adversaire.

Quant à l'argument selon lequel la publicité est nécessaire parce qu'elle permet de vendre les journaux moins chers, **il est inutile d'y insister.** La publicité revient très cher au fabricant du produit et c'est en définitive le consommateur qui la paie. Est-ce là un grand avantage?

EXERCICE

Un parc naturel ou une station de ski?
Les amis de la nature sont inquiets. Un petit village des Alpes veut ouvrir une énorme station de ski dans un endroit qui, dans peu de temps, doit devenir un parc naturel protégé contre toutes les atteintes de la civilisation.
Ceux qui sont partisans de ce projet disent : ce parc naturel est indispensable. Il protégera les derniers chamois ainsi que des plantes très rares.
Les habitants du village disent : nous ne voulons pas devenir un musée. Un parc naturel ne fait pas vivre les gens. Nous avons besoin d'emplois. Il faut empêcher les jeunes de partir. Nous avons besoin de cette station de ski.

Les amis du parc naturel disent :
Pour justifier l'installation d'une station de ski, les habitants du village ______________________________

____

Les habitants du village répondent :
Les partisans du parc naturel **s'étonnent que** ______________________________

____

RÉCAPITULATION

Lorsque vous vous opposez à quelqu'un, vous vous opposez d'abord à ce qu'il vient de dire. Il faut que vous rapportiez ses paroles pour les critiquer. Il est possible, bien entendu, de le faire de la façon la plus simple :
M. X. : « Il faut empêcher la construction de tours dans Paris ».
M. X. **a dit qu'**il faut empêcher la construction de tours dans Paris.
M. X. **pense qu'**il faut interdire la construction de tours dans Paris.
M. X. **estime qu'**il faut interdire la construction de tours dans Paris.
M. X. **déclare qu'**il faut interdire la construction de tours dans Paris.

Mais il est aussi possible de rapporter les paroles de quelqu'un **tout en portant un jugement critique** à leur sujet. Par exemple :
M. X. : « La publicité informe le consommateur. »
M. X. **prétend que** la publicité informe le consommateur.
(Mais ce qu'il dit est faux. Lui-même pense le contraire.)
M. X. **voudrait nous faire croire que** la publicité informe le consommateur.
(Bien entendu, c'est faux. Lui-même est persuadé du contraire.)
M. X. : « Je pourrais faire interdire la construction de cette tour. »
M. X. **croit qu'**il pourra faire interdire la construction de cette tour.
(En fait, il n'est pas du tout certain qu'il y parvienne.)
M. X. **s'imagine qu'**il pourra faire interdire la construction de cette tour.
(En fait, il en est incapable.)
Vous voyez, ainsi, qu'il est déjà possible de montrer votre désaccord uniquement en rapportant les paroles de votre adversaire. Ensuite...
... vous reprendrez chaque argument de votre adversaire, un à un :
— **Il présente plusieurs sortes d'arguments...**
— **Il s'appuie sur plusieurs sortes d'arguments...**
— **Il invoque un certain nombre d'arguments...**
— **Il fait valoir comme argument le fait que...**
— **Le premier argument invoqué...**
— **etc.** (cf. p. 18).
A chacun de ces arguments, vous devez immédiatement répliquer :
— **Mais...**
— **Or...**
— **En fait...**
— **etc.**
Et si vous voulez insister sur le fait qu'un argument est sans valeur, qu'il n'est pas digne de retenir l'attention, vous pouvez ajouter :
— **Inutile d'y insister...**
— **Je ne m'attarderai pas sur...**

Ni l'un, ni l'autre

Certains sujets donnent lieu à bien des malentendus, les mathématiques modernes, **par exemple...**

Ce qui soulève alors des passions très vives. Chacun adopte une position extrême. Ou bien tout est parfait, ou alors tout est à rejeter. Il existe heureusement des personnes plus raisonnables qui savent que la vérité se situe dans un juste milieu. Ce ne sera alors ni l'un, ni l'autre de ces deux points de vue. Que peut-on dire, par exemple, des mathématiques modernes?

1/Les données du problème

Depuis plusieurs années, les mathématiques modernes **font l'objet de** très vives discussions. Les gens sont loin d'être d'accord à leur sujet et multiplient les déclarations.

2/Exposé des prises de position

Dans le cas le plus fréquent, on n'hésite pas à parler de savoir qui encombre inutilement la tête des enfants. **Ailleurs, au contraire, il n'est question que de** discipline fondamentale pour le développement de l'intelligence de l'enfant.

3/Commentaire

Les prises de position des premiers donnent des mathématiques modernes une image très simpliste. Il ne s'agit pas d'apprendre seulement aux élèves à calculer. **Inversement, les seconds oublient que** l'école doit aussi fournir à l'enfant des notions qui puissent lui servir dans la vie courante.

4/Conclusion

Entre ces deux vues extrêmes, il y a place pour des attitudes moins systématiques. Les mathématiques modernes peuvent être envisagées comme un élément supplémentaire dans la formation de l'enfant, ce qui n'exclut pas l'apprentissage de formes traditionnelles du calcul.

EXERCICE

Ces deux communiqués ont paru dans une revue scientifique **La Recherche** et expriment deux points de vue parfaitement opposés sur le problème des centrales nucléaires.

EDF : Centrales nucléaires et environnement

A une époque où l'on se préoccupe tant des problèmes de pollution, il faut savoir que, grâce au développement des applications diverses de l'électricité, la production de celle-ci à partir de l'énergie nucléaire permettra de réduire, dans des proportions importantes, la pollution due aux foyers industriels et domestiques ainsi qu'aux centrales brûlant du charbon ou du fuel-oil et, qui sait? peut-être même aux automobiles. En effet, ces installations font appel à des combustibles dont l'utilisation entraîne le rejet dans l'atmosphère d'une grande quantité de poussières et de produits toxiques, alors que l'énergie nucléaire crée une petite quantité de produits qui, s'ils sont dangereux, peuvent par contre être facilement rassemblés et stockés pendant le temps nécessaire pour les rendre inoffensifs; on évite ainsi cet effet de dispersion et de pollution généralisée qu'accompagne le sentiment d'irresponsabilité collective qui caractérise actuellement les pollutions chimiques.
Il serait infiniment dommage que le développement de l'énergie nucléaire soit mal accepté par le grand public du fait d'une mauvaise information qui, entraînant un comportement irrationnel, le conduirait à exagérer les inconvénients, qui sont minimes, et à dissimuler les avantages, qui sont très importants.

Il est certain que l'énergie électrique, surtout lorsqu'on peut la produire économiquement, est un facteur important d'élévation du niveau de vie; cela est si vrai que l'on mesure souvent le degré de développement économique d'un pays par sa consommation d'électricité par habitant.
L'homme ne saurait plus admettre d'être l'esclave de travaux pénibles; son génie inventif lui a permis de leur substituer la machine, mais celle-ci est consommatrice d'énergie. Pour répondre à l'augmentation constante de la consommation d'énergie, certains pays peuvent encore faire appel à l'hydraulique, mais le plus grand nombre, et notamment la France, ne disposent que de l'alternative suivante :

■ Énergie thermique reposant sur la combustion du charbon et surtout du fuel-oil entraînant une pollution atmosphérique croissante et sujette aux aléas économiques et politiques.

■ Énergie nucléaire, dont l'évolution prévisible mettra l'humanité à l'abri d'une pénurie d'énergie et qui a l'avantage d'une meilleure protection de l'environnement.

Source : La Recherche n° 46, juin 1974.

Centrales nucléaires

En juin dernier, LA RECHERCHE a cru bon d'accepter une publicité de l'EDF en faveur de l'énergie nucléaire. Le Centre d'Information contre la Pollution Radio-active a choisi de répondre ici même aux allégations des publicistes de l'EDF.

Énergie Des Fous*

Université de Provence Place Victor-Hugo 13331 Marseille, CÉDEX 3

CERTES, la pollution due à la combustion de fuel, de charbon dans les centrales, les autos, les avions, etc., est dangereuse; on doit le dire, le savoir : un voyage transatlantique de Concorde consomme plus d'oxygène que n'en produit la forêt de Fontainebleau en un an; d'ores et déjà, pour l'ensemble de la planète, l'équilibre de l'oxygène est en passe d'être rompu : il se consommera bientôt plus d'oxygène que n'en produit l'assimilation chlorophyllienne.
CERTES, la pollution chimique est dangereuse et grave : boues rouges qui tuent toute vie entre la Corse et l'Italie; grands lacs américains en totale putréfaction (durée évaluée pour le retour à un écosystème équilibré, en arrêtant aujourd'hui toute pollution UN SIÈCLE).
MAIS QUE DIRE DE LA POLLUTION RADIOACTIVE, quand on sait que :
— Certains sous-produits des réactions nucléaires restent radioactifs des centaines de siècles. A l'heure actuelle, aucun matériau connu n'est susceptible de résister avec certitude à l'épreuve du temps pour constituer des containers de stockage (cf. affaire des fûts de Saclay en 1972 : on avait « oublié » que l'eau augmente le volume en gelant, et les fûts s'étaient fissurés !...).
— On stocke bien les matériaux à « longue période » mais ceux qui ne restent radioactifs « que » un, deux ou huit jours sont rejetés dans les rivières (il est impossible de tout stocker...).
— Une centrale nucléaire est faite pour durer quarante ans. Au-delà, elle n'est plus utilisable, mais ses réacteurs restent radioactifs pour 24 000 ans...
— Les techniciens EDF affirment que la pollution thermique restera acceptable... et c'est ainsi qu'on nous promet (!) que la température du Rhône ne dépassera jamais... 30 °C. Quelle aubaine pour les éleveurs d'alligators et d'hippopotames ! Mais que deviendront les poissons qui y survivent encore, les cultures riveraines, etc... ?
— Chaque année, aux USA, 32 000 cancers sont dus à l'activité des centrales nucléaires, et ce, malgré le respect des normes de « sécurité ».
CEUX QUI PRÉTENDENT que l'énergie nucléaire est, à l'heure actuelle, le remède à tous nos déboires (ou même seulement un moindre mal) sont des FOUS CRIMINELS.
En fait, leur objectif, loin d'être la libération de « l'esclavage des travaux pénibles », est clairement avoué dans les revues spécialisées, réservées aux « initiés » : *il est illusoire d'espérer gagner la bataille du pétrole : le public doit être préparé, MIS EN CONDITION, pour accepter que le relais soit pris coûte que coûte par l'énergie nucléaire. Telle est la condition de la solution de la crise économique qui se profile.*

* En demandant pardon aux « fous » pour cette comparaison désobligeante.

C'est pourquoi nous disons qu'il est erroné d'affirmer que la seule alternative est : énergie thermique ou énergie nucléaire. Nous prétendons que le choix réside en fait entre :

— Continuation de la course à l'énergie, aux profits, à l'aliénation des individus, au « développement économique », à des rythmes démentiels et insoutenables, ce qui, certes, implique le choix ci-dessus.

Ou :

— Choix délibéré d'un changement des finalités sociales, abandon de l'obéissance aveugle et fataliste aux lois du profit et de la rentabilité, lutte contre les pollutions, toutes les pollutions (thermique, chimique et surtout radio-active) et DANS CE CADRE, recherche de sources énergétiques non polluantes : énergie solaire, hydraulique, géothermique, etc.

Source : La Recherche n° 51, décembre 1974.

Que dira la personne qui n'adopte **ni l'une ni l'autre** de ces positions? ____________________

____

Et maintenant, c'est à vous !

Robert Doisneau / Rapho.

Hier...

Quand j'habitais dans mon vieux quartier, je faisais toutes mes courses chez les commerçants du voisinage. On se connaissait, ils demandaient à chaque fois des nouvelles de ma santé, nous parlions des enfants...

Buigné / Rapho

... aujourd'hui

Maintenant, je me rends chaque semaine dans un grand supermarché. C'est très pratique. On y trouve tous les produits. Il y a beaucoup de monde. Mais personne ne vous connaît et ne vous adresse la parole.

Bussillet

J'habitais une vieille maison à trois étages. Mon appartement se trouvait au second. Il fallait y monter par un vieil escalier. Je connaissais mes voisins. De temps en temps, nous échangions quelques propos.

de Sazo-Rapho.

Mon immeuble a vingt-cinq étages. L'entrée est monumentale, avec des décorations très modernes. Beaucoup d'espace et beaucoup de monde aussi pour prendre l'ascenseur ultra-rapide. Mais personne ne se dit bonjour.

Avantages... Inconvénients...

Hier :

– Vous regrettez la vie d'hier. Vous en faites l'exposé.
Vous commentez : l'image du haut
ou l'image du bas

Pour introduire leur commentaire, choisissez :
☐ même si
☐ au contraire
☐ bien entendu

– Par contre, vous ne regrettez pas ce temps-là.
Vous commentez : l'image du haut
ou l'image du bas

Pour introduire leur commentaire, choisissez :
☐ par ailleurs
☐ de toute façon
☐ il est exact

Aujourd'hui :

– Vous énumérez les avantages qu'il y a à vivre dans de nouveaux quartiers : ______________________________

____

– Mme Benoît hésite à conclure. Où vaut-il mieux vivre ? Elle ne sait pas très bien : ______________________________

____

Problèmes

Les commerçants d'une petite ville viennent d'apprendre par hasard qu'un grand supermarché va s'installer dans la commune. En colère, ils se rendent à la mairie pour s'informer. Le maire reçoit l'un d'eux. Il lui déclare :
« Je m'étonne que l'on m'accuse de vouloir la disparition des petits commerçants. »
Ces paroles montrent que :
1 ☐ Le maire n'était pas au courant de ce projet;
2 ☐ Le maire reconnaît qu'il est à l'origine de ce projet;
3 ☐ Le maire n'ose pas avouer qu'il est à l'origine de cette décision.

A la suite de cette première déclaration, le maire va poursuivre en disant :
1 ☐ Les bruits selon lesquels un supermarché va s'installer dans cette ville sont dénués de fondement;
2 ☐ Il est exact que...;
3 ☐ Je tiens à apporter les précisions suivantes :

Le maire a dit qu'il n'était pas au courant de cette installation. Le représentant des commerçants ne croit pas ce que lui a dit le maire. Lorsqu'il rapporte ses déclarations, il commence ainsi :
1 ☐ Le maire a dit que...
2 ☐ Le maire a déclaré que...
3 ☐ Le maire prétend que...

1/Il est exact que...

2/Mais je m'étonne que...

3/Tout le monde sait bien que...

4/Même si...

5/De toutes façons...

6/En effet...

7/Il ne s'agit donc pas de...

8/Mais de...

9/En définitive...

— Je préfère qu'ils fassent leurs achats dans notre commune.
— Le petit commerce connaîtra des difficultés.
— On m'accuse de vouloir la mort des petits commerçants.
— De plus en plus de gens vont faire leurs courses dans les supermarchés des communes voisines.
— J'ai accepté l'installation d'un supermarché dans notre commune.
— Il n'y a pas de quoi s'inquiéter.
— On ne vous prendra pas vos clients. on gardera ceux qui d'habitude vont faire leurs courses dans les communes voisines.

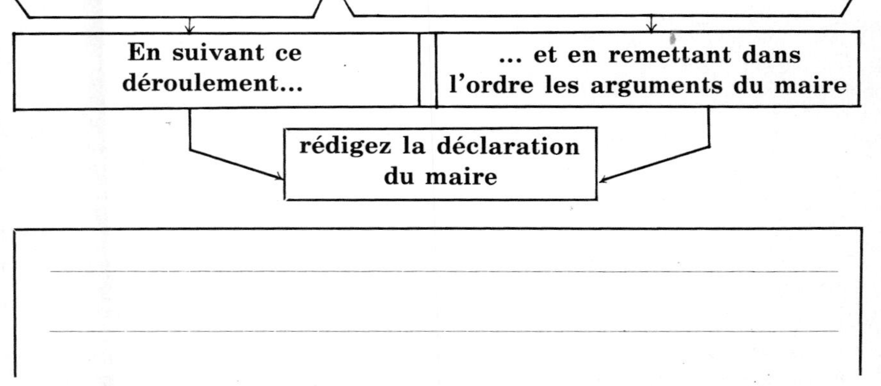

— Le maire annonce ensuite la nouvelle de l'ouverture d'un supermarché aux représentants d'une association de consommateurs. Comment va-t-il alors organiser sa déclaration ?

— Le directeur d'une entreprise doit licencier une partie du personnel. Comment annonce-t-il la nouvelle ?
— au conseil d'administration ?
— aux ouvriers ?

Voici l'exemple de...

On conseille aux gens d'emprunter les transports en commun. Or voici ce qui est arrivé au lecteur de ce journal. A partir de cet exemple, que dira celui qui est partisan des transports individuels en automobile ?

LA PROCHAINE FOIS, JE PRENDRAI MA VOITURE

M. J.-M. H., d'Épinay-sur-Seine, nous écrit :

Ce jour-là mes activités professionnelles m'ont amené à Rueil pour une réunion de travail. A 19 heures, j'ai entrepris le déplacement entre Rueil, dans les Hauts-de-Seine et Épinay-sur-Seine, dans la Seine-Saint-Denis, pour rentrer à mon domicile. Ce sont les péripéties de ce déplacement par les transports collectifs que je vais vous décrire.

1) Le R. E. R. : je prends le R. E. R. à la station Rueil, direction Paris. Ayant consulté (difficilement) les plans des réseaux R. E. R. et S. N. C. F., je décide de ne pas aller jusqu'à Paris mais de me raccorder au réseau S. N. C. F., direction Paris-Saint-Lazare, et de prendre une correspondance à Asnières pour prendre la direction d'Argenteuil.

2) La S. N. C. F. :

Les trains, au départ de Nanterre, pour la gare Saint-Lazare, ne s'arrêtent pas à Asnières. Il me faut descendre à Bécon-les-Bruyères pour continuer vers Asnières.

3) La S. N. C. F. : *Bécon-les-Bruyères-Asnières.*

Arrivé à Asnières, je suis obligé de prendre un nouveau titre de transport pour me rendre à Argenteuil.

4) La S. N. C. F. : *Asnières-Bois-Colombes.*

Les trains, en direction d'Argenteuil, ne vont pas jusqu'à la gare d'Argenteuil. Je suis obligé de changer de train à la gare de Bois-Colombes.

5) La S. N. C. F. : *Bois-Colombes-Argenteuil.*

6) Le car C. T. U. : *Argenteuil-Épinay-sur-Seine.*

Ce déplacement en car m'oblige à faire un trajet à pied de 200-300 mètres pour arriver au point de départ de la ligne d'autobus.

Au total, il m'aura fallu décomposer mon trajet global en six tronçons : un sur le R. E. R., quatre sur la S. N. C. F., un en car; chaque tronçon n'excédant pas 5 kilomètres !

La durée totale du trajet a été de une heure quinze minutes (en voiture le même trajet aurait nécessité de trente à quarante minutes). Conclusion : la prochaine fois, je prendrai ma voiture.

(Le Monde, 8/1/1973.)

Qu'a-t-il dit ?

La personne qui écrit rapporte les paroles de quelqu'un pour les critiquer. Pouvez-vous retrouver ce que cette personne a pu dire?

Je ne comprends pas que vous vous limitiez à réclamer une sélection de plus à l'entrée de la faculté, mettant ainsi hors de cause un enseignement secondaire qui vous fournit ce « mauvais matériel » que sont les bacheliers. Vous trouvez étonnant que certains réclament à la fois la réforme du baccalauréat et le droit pour les bacheliers d'entrer en faculté? Le contraire serait quand même étonnant. Car le baccalauréat, vous le dites bien, ne prépare pas aux études supérieures, non pas parce qu'il est trop facile, mais parce que les méthodes de sélection sont absurdes.

d'après Michel Bosquet,
Le Nouvel Observateur,
8/11/1967

1°/quel est l'objet de cette discussion?

☐ la réforme du baccalauréat

☐ le niveau des élèves d'aujourd'hui

☐ le problème de l'entrée en faculté

2°/qu'a déclaré la personne dont Michel Bosquet rapporte les paroles?

LE MALAISE DES LYCÉENS?

C'est ici que nous rencontrons l'explication d'André Fermigier. Ce malaise des jeunes lycéens, il en rend l'Université responsable. Non seulement l'Université avec ses classes trop chargées, des programmes trop vastes, mais aussi les professeurs incapables, selon lui, d'oublier le passé et de donner à la jeunesse ce qui l'intéresse, au siècle des tirs sur la Lune, des ordinateurs, de la T. V. et du strip-tease. Telles seraient donc les justifications du malaise des lycéens.

d'après P. H. Simon,
Le Nouvel Observateur,
29 juin 1966

1°/ Qu'a dit André Fermigier dans son précédent article?

2°/ Quelle peut être la réponse de Pierre-Henri Simon?

Essayez de refaire l'article de Philippe de Saint-Marc d'après ce que dit Bernard Guex.

---

40 MILLIARDS PAR AN POUR L'ÉTAT

par Bernard Guex (*)

M. Saint-Marc, dans l'article intitulé « Croissance zéro pour l'automobile ? » (*Le Monde* du 17 octobre), affirme que la production automobile française a augmenté de 470 000 unités par an de 1962 à 1967 et de 1 320 000 unités chaque année de 1967 à 1972. S'il en était ainsi, elle aurait produit plus de 28 millions de véhicules en 1972. Or, elle en a produit 3 328 000 (dont plus de la moitié ont été exportés).

Les mises en chantier d'autoroutes ont effectivement et heureusement triplé depuis trois ans. On peut s'étonner que M. Saint-Marc s'en offusque, puisqu'il se prétend partisan de la sécurité et qu'il devrait savoir que le taux d'accidents sur les autoroutes est le tiers du taux constaté sur le reste du réseau. La méthode d'extrapolation employée par M. Saint-Marc n'est pas fondée car tout le monde sait que notre réseau d'autoroutes était lamentablement insuffisant au début de cette décennie.

Quant à tirer des conclusions sur le réseau d'autoroutes, qui serait de 4 millions de kilomètres en l'an 2000, M. Saint-Marc aurait dû savoir que les progrès réalisés de 1971 à 1973 ont seulement conduit — avec quinze ans de retard sur les autres pays — à un nouveau palier qui ne permettra même pas d'atteindre 8 000 kilomètres d'autoroutes en 1980.

M. Saint-Marc accuse la route d'être destructrice d'espace. Il oublie que, depuis le début du siècle, les déplacements de personnes et de marchandises ont été multipliés par 80, alors que le réseau routier a augmenté de moins de trois pour mille en France et, dans Paris, de 10 %.

M. Saint-Marc affirme que l'automobile est responsable des deux tiers de la pollution atmosphérique. Les statistiques du laboratoire de la préfecture de police lui en imputent seulement 25 % et constatent que, de 1963 à 1971, le taux de pollution dans Paris a diminué de moitié. Encore ce taux de 25 % est-il apprécié en volume. Aux États-Unis, où le problème est beaucoup plus important, on le sait, on impute à l'automobile 40 % de la pollution en volume, mais 10 % à 15 % seulement en degré de nocivité, car d'autres sources de pollution produisent des gaz nettement plus dangereux.

Enfin, il a exprimé le vœu que soit mis fin au « favoritisme systématique » dont jouit l'automobile actuellement, par rapport au rail. Il suffira d'indiquer à ce propos que l'automobile rapporte à l'État plus de 40 milliards de francs par an.

Le Monde, Novembre 1973.

(*) Chargé des relations extérieures de la Chambre syndicale des constructeurs d'automobiles.

Choisir

— Où partir en vacances cet été? A New-York en Boeing 747? Aux Indes ou à Bangkok, comme le faisait ce monsieur autrefois? Ou tout simplement quelque part dans la campagne française, à pied, comme le font de plus en plus de Français chaque été?
Trois formules de vacances. Chacune présente ses avantages.
Quels sont-ils? (voir p. 18).
— Vous n'êtes pas encore fixé sur la façon dont vous allez passer vos vacances. Vous écrivez à un de vos amis pour lui demander de se rendre dans une agence de voyages. L'employé lui propose trois formules :

— 10 jours à New-York pour 2 000 francs — voyage aller-retour en Boeing et chambre d'hôtel catégorie luxe
— un circuit à pied de douze jours dans la Lozère, logé et nourri chez les paysans à chaque étape pour 520 F
— le tour du Périgord en bicyclette en 12 jours pour 850 F. Votre ami vous envoie tous ces renseignements et vous conseille l'une des trois formules. Que va-t-il écrire? (voir p. 36 et p. 47).
— Préférez-vous organiser vous-même vos voyages ou bien aimez-vous mieux la formule des voyages organisés?

Disposer les arguments

Vous n'êtes pas d'accord avec les conclusions de l'ingénieur de l'E. D. F. (p. 44). Vous reprenez le problème à partir des informations présentées ci-dessous, en disposant vos arguments d'une autre manière (voir p. 46).

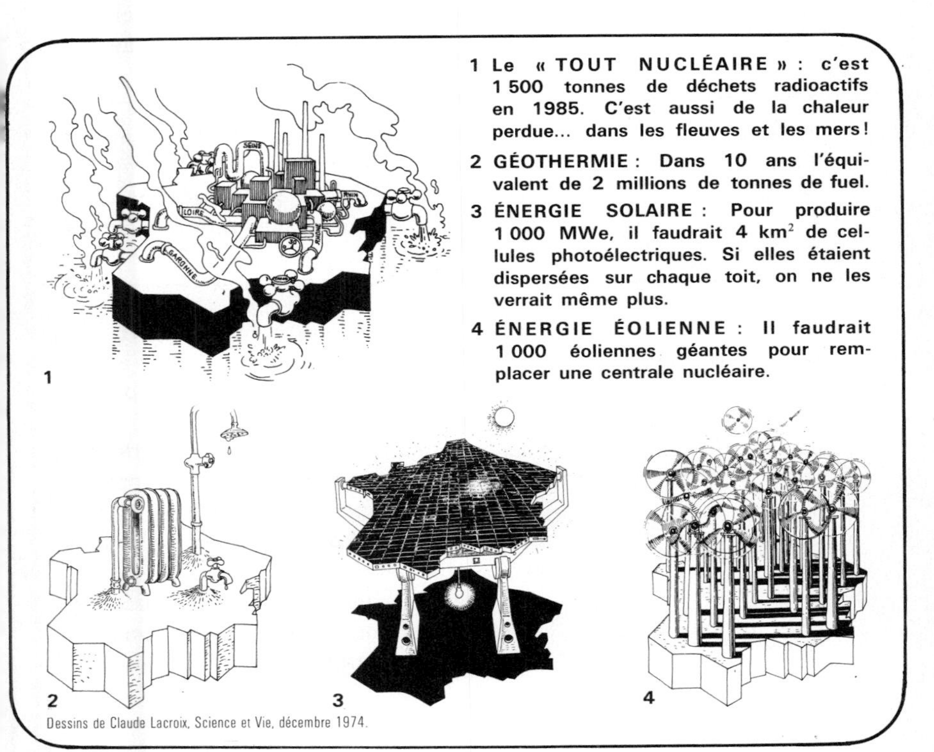

1 Le « TOUT NUCLÉAIRE » : c'est 1 500 tonnes de déchets radioactifs en 1985. C'est aussi de la chaleur perdue... dans les fleuves et les mers !

2 GÉOTHERMIE : Dans 10 ans l'équivalent de 2 millions de tonnes de fuel.

3 ÉNERGIE SOLAIRE : Pour produire 1 000 MWe, il faudrait 4 km² de cellules photoélectriques. Si elles étaient dispersées sur chaque toit, on ne les verrait même plus.

4 ÉNERGIE ÉOLIENNE : Il faudrait 1 000 éoliennes géantes pour remplacer une centrale nucléaire.

Dessins de Claude Lacroix, Science et Vie, décembre 1974.

Répondre à...

Revoir, avant d'écrire, la page du livre.

pages 13-14 : démentir	— Que peuvent répondre certains habitants du village aux ingénieurs de l'E. D. F. (p. 15) ?
page 32 : hésiter	— L'installation d'une centrale nucléaire dans le village ne présente-t-elle que des avantages (p. 17) ?
page 64 : il n'y a qu'à	Le promoteur du projet d'enseignement des langues étrangères dans les écoles maternelles est déçu par la réaction des spécialistes. Il va essayer une fois encore de les convaincre (p. 32).
page 22 : faire des concessions page 13 : démentir	— Que vont répondre les membres de l'association de défense de Vézelay au directeur de la société chargée d'exploiter les carrières (p. 42) ? réponse modérée / réponse vigoureuse.
page 13 : démentir page 27 : donner un exemple :	— M. Dubois, qui habite Paris, n'est pas du tout d'accord avec ceux qui défendent la ville (p. 59). — Mme Marchant, qui habite Sarcelles, n'est pas du tout d'accord avec ceux qui défendent les grands ensembles (p. 59).

	— M. Séguy, qui est professeur au Lycée Roland Barthes à Paris (il y enseigne dans les classes de Lettres Supérieures), n'est pas du tout d'accord avec le tableau qui est fait de la jeunesse actuelle (p. 62).
page 13 : démentir page 67 : pas d'accord	— Que peuvent répondre ceux qui ne sont pas d'accord avec les adversaires de la limitation de vitesse?
page 35 : une autre manière de marquer une hésitation page 67 : pas d'accord	— Ceux qui croient à l'existence des O. V. N. I. ne sont pas convaincus par l'explication fournie par les astronomes de l'Observatoire de Paris. Que vont-ils répondre (p. 71)?

Pour terminer

Que pourriez-vous répondre à ce genre d'affirmation?
— Il est inutile d'introduire l'éducation sexuelle à l'école.
— Apprendre l'histoire et la géographie ne sert à rien.
— Le cinéma moderne est responsable de l'augmentation des vols et des crimes.
— La discipline dans les lycées n'est pas assez sévère.
— Une femme est incapable de diriger une usine ou de commander un navire.
— Le sport professionnel ne devrait pas exister.
— La télévision est dangereuse pour les enfants.
— Le jazz est une musique de sauvages.
— Autrefois les gens étaient beaucoup plus heureux.
— Seule l'application de la peine de mort permettra de faire diminuer le nombre de crimes.
— Il est mauvais pour un enfant de lire des bandes dessinées.
— Les jeunes d'aujourd'hui ne veulent plus se tourner vers les métiers manuels parce qu'ils sont paresseux.
— Un plombier gagne plus d'argent qu'un professeur. C'est scandaleux!
— Les jeunes filles ne doivent pas sortir seules le soir. Elles doivent rester avec leurs parents.
— Une femme qui travaille ne peut pas bien s'occuper de ses enfants.
— Les femmes ne savent pas conduire.
— Un supérieur a toujours raison.
— La presse actuelle est beaucoup trop libre.

Points de repère

L'organisation d'un développement écrit

Commencer		Le problème
L'origine du problème (voir p. 6)	**La question**	**Débuter** (p. 11)
il y a quelques jours... depuis un certain temps... à l'occasion de ... d'année en année il est fortement question de ... les récents événements de ... ont mis en évidence ... ... telles sont quelques-unes des réflexions entendues... on parle beaucoup en ce moment de ... dans une étude (livre, article) consacrée à ... X affirme que ... il est souhaitable de ... telle est la conclusion d'un rapport (article, livre, discours...)	cette ... pose le problème de ... quelles vont être les conséquences de ... que faut-il penser de ... la question de ... est à nouveau posée est-ce vraiment la solution... pense-t-on ainsi résoudre le problème de ... est-il vrai que ... est-il exact que ... peut-on accepter que ... que faut-il ... qu'est-il possible de ...	commençons par la première remarque portera sur il faut d'abord rappeler que on commencera d'abord par la première remarque que l'on peut faire est que abordons rapidement le problème de

<table>
<tr><th colspan="2">Le problème</th><th rowspan="2">Conclure

(p. 39)</th></tr>
<tr><th>Marquer une étape
(p. 12)</th><th>Insister
(P. 12)</th></tr>
<tr><td>passons à présent à la question de

venons-en à présent à la question de

pour l'instant nous laisserons de côté le problème de

nous reviendrons plus loin sur le problème de

avant de passer à la question de

après avoir souligné l'importance de</td><td>il ne faut pas oublier que

il faut souligner que

on notera que

il faut insister sur le fait que

rappelons que
<hr>Donc...
(p. 10)<hr>par conséquent

c'est pourquoi

ainsi

si bien que</td><td>donc

ainsi

finalement

en résumé

en définitive

en somme

on voit par ce qui précède que

il résulte de ce qui précède que

on peut conclure en disant que</td></tr>
</table>

Pour être plus convaincant

Vous pourrez vous servir de ces expressions pour...

exprimer un point de vue personnel	**selon moi**	**Selon moi,** le candidat de l'actuelle majorité remportera les élections.
	à mon avis	**A mon avis,** il est plus difficile d'apprendre l'anglais que le français.
	en ce qui me concerne	**En ce qui me concerne,** je suis tout à fait favorable au vote des jeunes à partir de dix-huit ans.
	d'après moi	**D'après moi,** l'équipe de France de football ne pourra pas remporter la Coupe du Monde.
	je pense que	**Je pense que** la publicité à la télévision devrait être interdite.
	il me semble que	**Il me semble que** les westerns italiens sont plus intéressants que les westerns américains.
exprimer ce qui est certain	**il est certain que**	**Il est certain que** les prix vont encore augmenter cette année.
	il est indéniable que	**Il est indéniable que** beaucoup de jeunes préfèrent lire *Salut les Copains* plutôt que les pièces de Corneille.
	il va de soi que	**Il va de soi que** cette année, comme les années précédentes, tous les Français partiront en vacances au mois d'août.
	il est évident	**Il est évident que** les jeunes d'aujourd'hui savent beaucoup plus de choses que ceux d'hier.
exprimer ce qui n'est pas sûr	**il est probable que**	**Il est probable que** la pollution, malgré les efforts des amis de la nature, ne pourra pas être arrêtée durant les prochaines années.
	il se peut que	**Il se peut que** d'ici dix ans on envoie des hommes sur la planète Mars.

	il est possible que	**Il est possible que** certains jeunes préfèrent quitter l'école à 14 ans,
	il serait étonnant que	**Il serait étonnant que** l'horaire aménagé soit appliqué très vite dans toutes les entreprises.
insister	**non seulement ... mais ... aussi**	**Non seulement** la mère de famille qui travaille doit être à son bureau ou à l'usine huit heures par jour, **mais** elle doit **aussi** s'occuper de sa maison et de ses enfants.
	si l'on ajoute encore	Le bruit provoqué par les automobiles est considérable; **si l'on ajoute encore** celui qui est provoqué par les motos ou les cyclomoteurs, on comprend pourquoi les gens achètent de plus en plus de tranquillisants.
	même	A l'heure actuelle, les jeunes et **même** les adultes lisent les bandes dessinées avec passion.
	à plus forte raison	La télévision enlève beaucoup de spectateurs au cinéma, **à plus forte raison** quand le prix des places dépasse 15 F.
	d'autant plus que	Les jeunes d'aujourd'hui sont **d'autant plus** sensibles à la politique **que** la télévision et les journaux y consacrent de plus en plus de place.
indiquer ce qui se ressemble	**il en va de même**	La publicité occupe de plus en plus de place dans les journaux. **Il en va de même** à la télévision.
	on retrouve le/la même	Il est très difficile de trouver un logement bon marché à Paris. **On retrouve** d'ailleurs **le même** problème dans les grandes villes de province.
	de façon identique	Dans l'ensemble, les garçons préfèrent passer le dimanche avec leurs amis. Les jeunes filles réagissent **de façon identique.**

	également	Le régime de sursis des lycéens vient d'être modifié. Les jeunes ouvriers sont **également** touchés par cette mesure.
	de même	**De même** que les parents d'élèves ont été hostiles à la réforme de l'enseignement des mathématiques, **de même** ils sont inquiets devant la réforme de l'enseignement du français.
mettre en relief	**c'est... qui**	**C'est** la conquête de l'espace **qui** a permis la mise au point d'un grand nombre d'inventions.
	c'est... que	**C'est** en général le français **que** les lycéens anglais choisissent comme première langue étrangère. **C'est** en Allemagne **que** l'on a tenté la première expérience d'horaire aménagé.
	ce qui... c'est	Pour les ouvriers, **ce qui** compte, avant tout **c'est** l'amélioration des conditions de travail.
	ce que... c'est	**Ce que** les gens préfèrent à la télévision, **ce sont** les films et les émissions sportives.
attirer l'attention du lecteur	**notons que**	**Notons que** depuis quelques années, le nombre des Français qui vont passer leurs vacances à l'étranger est de plus en plus élevé.
	sait-on que ?	**Sait-on que** chaque année plusieurs dizaines de salles de cinéma sont supprimées en France ?
	précisons que	**Précisons** cependant **que** le tirage des hebdomadaires augmente d'année en année.
	il faut attirer l'attention sur le fait que	**Il faut attirer l'attention sur le fait que** les ressources en matière de pétrole sont limitées.
	il faut mentionner que	**Il faut** aussi **mentionner** le fait **que** beaucoup d'écoliers passent plus de temps devant la télévision qu'en classe.

expliquer un détail	**c'est-à-dire**	Les actifs non-salariés, **c'est-à-dire** les artisans, les agriculteurs, les commerçants, les professions libérales, représentent 23 % de la population active.
	ce qui veut dire	Chaque année, 16 000 Français meurent sur les routes, **ce qui veut dire** que chaque année disparaît la population d'une ville comme Mazamet.
	ce qui signifie	Dans leur majorité, les Français préfèrent acheter dans les supermarchés, **ce qui signifie** la disparition à plus ou moins long terme du petit commerce.
éviter un malentendu	**bien loin de**	L'interdiction du stationnement, **bien loin de** constituer une gêne pour l'automobiliste, lui permettra au contraire de mieux circuler.
	non pas pour... mais...	Le voyage a été retardé **non pas pour** des raisons de santé **mais** parce qu'il n'y avait plus de places à cette date.
	ce n'est pas par... mais par...	**Ce n'est pas** par méchanceté qu'il a agi, **mais par** jalousie.
	c'est moins par (pour)... que	S'il ne réussit pas dans ses études, **c'est moins par** manque de moyens **que** par paresse.

Les mots pour dire...
... l'art et la manière de convaincre

aborder *(un sujet, un problème) :* se mettre à parler de quelque chose.
accuser : attaquer quelqu'un à propos de quelque chose.
admettre : accepter ce que dit quelqu'un.
affirmer : présenter quelque chose comme vrai.
approuver : dire que l'on est d'accord avec ce qu'a dit ou ce qu'a fait quelqu'un.
s'appuyer *(sur un argument pour dire que) :* se servir de.
argument *(m.) :* ce qui sert à montrer que ce que vous dites est vrai pour répondre à quelqu'un ou pour le convaincre.
assurer : présenter quelque chose comme vrai.
attribuer *(une chose à une autre) :* donner la cause de.
avancer *(un argument) :* présenter.
concession *(f.) :* le fait de reconnaître à votre adversaire le droit d'avoir raison sur un point.
conclure : arriver à la fin d'un développement ou d'un exposé.
conclusion : le fait de conclure.
condamner : porter un jugement défavorable sur quelqu'un ou quelque chose.
convaincre : arriver à faire changer quelqu'un d'avis en se servant d'arguments.
critiquer : montrer les défauts.
déclarer : annoncer quelque chose de façon très claire.
déclaration *(f.) :* le fait de déclarer quelque chose.
déduire : tirer une ou plusieurs conclusions d'une affirmation.
démentir : affirmer que ce qui vient d'être dit est faux.
démontrer : montrer qu'une chose est vraie à l'aide de preuves.
démonstration *(f.) :* le fait de démontrer.
développer : expliquer ou montrer quelque chose avec tous les détails.
développement *(m.) :* le fait de développer une idée, un point de vue.
disposer : mettre les arguments dans un certain ordre.
discuter : examiner tous les aspects d'un problème, le pour et le contre.
discussion *(f.) :* le fait de discuter.
exposer : présenter une suite d'idées à quelqu'un.
formuler : exprimer un avis, un point de vue.
hypothèse *(f.) :* ce que l'on propose, sans preuves véritables, pour expliquer telle ou telle chose.

invoquer : faire appel à, se servir d'un argument pour démontrer quelque chose.
justifier : montrer à l'aide d'arguments, de preuves que quelque chose est vrai.
justification *(f.) :* le fait de justifier quelque chose ou de justifier ce que l'on a dit ou ce que l'on a fait.
objection *(f.) :* argument utilisé pour répondre à l'adversaire et montrer qu'il est dans l'erreur.
opinion *(f.) :* façon de voir et de juger les choses.
persuader : amener quelqu'un, à l'aide de preuves et d'arguments, à changer d'avis ou à choisir votre point de vue.
prétendre : affirmer une chose sans en être assuré.
preuve *(f.) :* ce qui sert à montrer qu'une chose est vraie.
protester : marquer de façon très nette que l'on n'est pas d'accord avec ce qui vient d'être dit ou ce qui a été décidé.
prouver : montrer à l'aide de preuves que ce que l'on dit est vrai.
reconnaître : admettre que l'on a tort après avoir pensé ou dit le contraire.
réfuter : repousser l'avis de quelqu'un à l'aide d'arguments.
réfutation : le fait de repousser l'avis d'un adversaire à l'aide d'arguments.
répliquer : répondre immédiatement à quelqu'un.
reprocher : critiquer quelqu'un au sujet de ce qu'il a pu dire ou de ce qu'il a pu faire.
réserves *(f. p.; formuler, faire des) :* dire que l'on n'est pas d'accord sur certains points de ce que vient de dire quelqu'un.
soulever (un problème, une question) : signaler un problème ou une question qui n'avait pas été abordé jusqu'ici.
soutenir : affirmer un point de vue, une opinion à l'aide d'un certain nombre de raisons.
suggérer : essayer de faire admettre une idée.
thèse *(f.) :* point de vue particulier que l'on va essayer de justifier.
transition *(f.) :* qui permet de passer d'une idée à une autre.
vérifier : examiner une chose pour voir si elle est vraie ou si elle correspond à ce qui avait été annoncé.

Comment faire pour...

1/Donner son avis :

— Michèle Jacquet **assure que** l'horaire variable lui a rendu la vie beaucoup plus facile (p. 27).

— M. Martin **expose les raisons** qui l'ont poussé à choisir le vélomoteur pour se déplacer (p. 46).

— Le porte-parole du gouvernement **affirme qu'**il n'a jamais été question de supprimer le tiercé (p. 13).

— Les habitants du village **déclarent qu'**ils désirent voir s'installer une station de ski (p. 81).

2/Montrer son désaccord :

— Les défenseurs de l'environnement **condamnent** la construction de tours dans Paris (p. 75).

— Certaines personnes **reprochent** à la publicité de favoriser la consommation de produits inutiles (p. 78).

— Les habitants de Vézelay **protestent** contre l'installation de carrières près de leur village (p. 42).

— Certains automobilistes **critiquent** la décision de limiter la vitesse sur autoroutes (p. 22).

— Les promoteurs immobiliers **répliquent** aux défenseurs de l'environnement qu'ils sont obligés de construire en hauteur par suite du prix des terrains (p. 75).

— Certaines personnes **accusent** la ville moderne de rendre les gens malades (p. 59).

— Les adversaires de la publicité **réfutent l'argument** selon lequel la publicité informe l'acheteur (p. 78).

3/Montrer son accord :

— Certaines personnes **admettent que** l'objet lumineux photographié dans la nuit du 4 février peut être un O. V. N. I. (p. 71).

— Les maires des villages des bords de la Loire **approuvent** l'installation de centrales nucléaires sur le territoire de leur commune (p. 15).

— Certaines personnes **reconnaissent** que la limitation de vitesse peut diminuer le nombre des accidents (p. 22).

Imprimé en France par BRODARD GRAPHIQUE — Coulommiers-Paris HA/7753/2
Dépôt légal n° 9126-8-1984 — Collection n° 06 — Édition n° 07

15/4509/4